Sammlung Luchterhand 37

# Jörg Steiner
# Ein Messer für den ehrlichen Finder
*Roman*

Luchterhand

Sammlung Luchterhand, November 1971.
Lektorat: Klaus Ramm.
Umschlag von Hannes Jähn.
Ausstattung von Wolfgang Stehle.


Erstausgabe 1966 im Walter-Verlag, Olten und Freiburg.
Gesamtherstellung bei der Druck- und Verlags-
Gesellschaft mbH, Darmstadt.

# 1

Hier sind die Gärten. Es sind die Gärten des Jahres 1943 in der Schweiz. Noch blüht der Phlox, Rosen blühen, Astern und Dahlien. Die Blumen blühen am Rand der Rabatten, in denen Zwiebeln, Lauch, Kohl, Bohnen, Rüben wachsen. Im August hat es zu lange geregnet. Das Land ist grün und fruchtbar. Die Kartoffeln sind reif. Man pflückt Brombeeren.

Schose ist sechzehn Jahre alt. Auf dem Taufschein heißt er José Claude Ledermann. Sein schlechtes Schulzeugnis wurde im Vertiko hinter Glas aufgestellt, ohne Unterschrift. Die Turnschuhe, die er sich wünscht, hat er nicht erhalten. Ein Halbrenner ist gekauft worden, Cycles Wolf. Er hat kleine Räder; Gummi ist rar. Er hat vier Gänge und einen Gepäckträger.

Es ist September, die Anbauschlacht des Jahres 1943 ist vorüber. Schose hat fünfundzwanzig Kilogramm Bohnen geerntet. Nicht nur deswegen bekommt er sein Rad; er fährt mit den andern Jungen um die Wette, Piste Drei – Seerundfahrt beispielsweise. Der heiße Juli hat den Asphalt aufgeweicht, im August sind die Straßen geplatzt. In den Fugen wächst jetzt Gras.

Die Jungen machen auf Kerrs Rad Gleichgewichtsübungen. Kerr hält sich eine Minute, dann kippt er. Kerr hat ein Vorkriegsrad mit breiten Reifen. Wenn das Rad umfällt, kommt der nächste an die Reihe. Es ist schwierig, im Stillstand das Gleichgewicht zu halten. Manchmal versuchen sie es mit einem Trick. Es sind immer die gleichen Spiele. Die Marktgasse eignet sich als Spielplatz genausogut wie die Kanalgasse. Überall sind kleine Kinder dabei mit ihren viel zu lauten Stimmen. Die größeren Kinder und die

jungen Leute bilden Gruppen. Wenn sie abends noch draußen sind, spielen sie Schuh-ab oder Fußball. Die älteren haben ihren Gesprächsstoff: die Schule. Ihre Lehrer sind oft im Militärdienst. Manchmal kommen sie für einen Monat zurück, aber eines Tages sind sie wieder weg. Der blonde Albion, Onkel Sam, die gelbe Gefahr: die Lehrer reden mit ihren Schülern vom Krieg.
Der blonde Albion, dem Teufel vom Karren gefallen, sagt der Deutschlehrer. Es ist höchste Zeit, daß ihr die deutsche Grammatik lernt, Kerls, Futter fürs Gehirn.
Schose ist ein schlechter Schüler, aber ein guter Aufsatzschreiber. Er verwendet in seinen Aufsätzen hin und wieder die Wörter: Kraft, Mut, Wahrheit, das Echte, der Feigling. Der Deutschlehrer gibt ihm gute Zensuren für Inhalt und Stil; immer wird seine Schrift beanstandet. Das ist die schlechteste Schrift, die ich in den zweiundvierzig Jahren meiner Lehrtätigkeit gesehen habe, steht unter einem Aufsatz. Die Unterschrift der Mutter muß bis morgen nachmittag beigebracht werden.
Wie oft ist Schose von zu Hause weggelaufen? Vor allem der eine Fluchtversuch hat ihn bekannt gemacht: ein Lastwagenführer, den er unterwegs kennengelernt hat, wenn er nicht doch ein Kunde des Salons ist, hat ihn verraten. Ausgeliefert, sagt Schose, in Genf die Polizei verständigt.
Man hat ihn auf der Straße ausgelacht. Man hat sich gefragt: wo steckt Schose wieder?
Vielleicht ist er im Keller? Dolores weiß Bescheid. Im Keller riecht es nach Eingemachtem, nach Apfel und nach Mazout, den Geruch hat er gern.
Der kommt immer zurück, sagt auch Dolly. Allons, die Gäste rufen. Wir haben keine Zeit zu verlieren.
Die Mädchen schminken sich vor dem Spiegel. Sie machen sich ihre Frisuren zurecht. Es ist bald Feierabend. Im Keller

hat Schose sein Leihrad aufbewahrt. Er legt die Kette in Petroleum. Er schraubt die Räder ab und reinigt die Felgen. Am Rahmen hat der Rost die Farbe angefressen. Chrom wird mit Sigolin-Grünbrand auf Hochglanz poliert.

Die Nachbarn behaupten, Schose sei grausam. Sie beobachten ihn während der warmen Maiabende. Sie kommen spät heim, mit vollen Körben; ein Aufruf hat das Pflükken von Lindenblüten in den öffentlichen Alleen erlaubt.

Er fährt mit dem Rad durch die Straßen; in der linken Hand hält er den Tennisschläger. Die Käfer bleiben stekken, er klaubt sie nach jeder Runde aus dem Netz. Er ist unersättlich. Am andern Morgen picken die Spatzen im Rinnstein an den Käfern.

Mit dem Jungen ist nichts los, sagen die Nachbarn. Das ist die Pubertät. Er müßte strenger gehalten werden, mehr arbeiten. Und dann, mit einer solchen Mutter, aus diesen Verhältnissen! Nicht einmal Pfadfinder ist er.

Sie verwenden ihre Lindenblüten-Körbe frühmorgens zum Käferfang. Die Käfer werden aus den Bäumen geschüttelt, bevor die Sonne aufgeht; die Stadt bezahlt vierzig Rappen pro Kilo. Auf allen Plätzen stehen die Kessel mit kochendem Wasser. Die Burgergemeinde liefert Holz. Jedes Kind kann mitmachen, Holz schleppen, Wasser bringen, Käfer einfangen; sie sind am frühen Morgen wehrlos, kennen die Droh- und Schreckstellung gewisser Raupen nicht, haben keine Schutzfarben, bäumen sich nicht auf, ducken sich nicht; man hat viel mit den Käfern zu tun; die Arbeit lohnt sich.

Schose verschläft die Jagdzeit.

Am Morgen schläft er am besten; abends hat er Mühe, einzuschlafen. Das Haus hält ihn wach. Er hört die Schritte der Männer und das Lachen der Mädchen.

Schose kennt die Namen der erfolgreichen Rennfahrer. Er

hat sich ihre Bilder verschafft, Fotografien aus Illustrierten. Meist sind sie in ihrem Trikot abgebildet, mit dem Rad zur Seite, in Turnschuhen. Der Fotograf hat sie gebeten, die Mütze abzunehmen; die Sonne scheint, die Mütze wirft einen Schatten ins Gesicht. Schose hat die Bilder über seinem Bett aufgehängt, vier schwarzweiße, zwei farbige Bilder; Anquetil ist noch nicht dabei, Anquetils Lächeln fehlt noch. Auf Schoses Bildern gibt es kein Lächeln. Die Fahrer blicken ernst auf den schlafenden Jungen.

Nach den Ferien hat Schose ein Amateurrennen nach Grenchen gewonnen. Eine Dame der Firma Wander küßt ihn auf den Mund. Er bedankt sich bei ihr; er bestätigt vor einem Mikrofon, daß Ovomaltine als Kraftnahrung einzigartig ist.

Das Beste, sagt er. Ovomaltine ist das Beste. Die junge Dame lächelt und entfernt sich rasch, niemand weiß, wohin; er will lieber nicht danach fragen. Er bleibt vor Cycle Wolfs Wagen stehen und kühlt sich das Gesicht. Am nächsten Tag ist sein Bild in der Zeitung.

Haben Sie gesehen, Madame, sagt Dolores, unser Schose? Madame schaut sich das Bild an, während das Mädchen ihre Beine massiert.

Er muß bald anfangen, sich zu rasieren. Schau bloß, der Flaum in seinem Gesicht.

Das ist Schmutz. Die Jungen werden bei den Rennen immer schmutzig. Es ist eine große Anstrengung. Ihr Sohn ist ein Sportsmann. Er lebt gesund. Wären nur alle so. Unsere Kunden, wissen Sie.

Madame hat nach dem Tuch gegriffen.

Sie beobachtet im Vertiko das Schiff in der Flasche, den Neapolitaner mit seiner Mandoline und die kleinen Vögel, die zu einem gelben Fleck verschwimmen, wenn man versucht, sie genau ins Auge zu fassen.

Vorsicht, meine Brille, sagt sie zu dem Mädchen. Sie liegt hinter dir auf dem Stuhl; unterm Schwamm liegt sie. Die Gläser sind teuer, und überhaupt, sie kommen aus Deutschland. Woher soll ich mir neue Gläser beschaffen, wenn du mir die Brille zerbrichst, jetzt, mit dieser Grenzsperre.
Alle sagen: wie vorsichtig Dolores geworden ist! Sie läßt nichts fallen, sie zerbricht nichts, sie hat zarte Hände, und doch ist sie eine ausgezeichnete Masseuse.
Madame hat ihre Brille auch noch im September. Schose bringt das schlechteste Zeugnis seiner Schulzeit nach Hause; es wird hinter Glas ausgestellt, zwischen dem Schiff in der Flasche und dem Neapolitaner. Er hat das Leihrad zurückgegeben; man sieht ihn mit einem neuen Halbrenner, Cycle Wolf, auf der Straße. Er fährt mit den Jungen seiner Klasse. Manchmal kommt Wolf herüber, als Starter. Wolf hat Madame den Halbrenner mit fünfzehn Prozent Rabatt verkauft.
Zwar wünscht sich der Junge Turnschuhe, sagt sie zu ihm, aber er hat ein schlechtes Zeugnis, ich werde ihm keine Turnschuhe kaufen.
Wolf kann sich ihrer Meinung nicht anschließen. Wenn er Rennen fahren will, muß er Turnschuhe haben. Sie sind billig, jedenfalls billiger als die Nagelschuhe der Schnellläufer oder die Zapfenschuhe der Fußballer.
Schose hat auch andere Wünsche; er kauft sich einen Vierkantschlüssel. Die Räder des Halbrenners sind nicht mit Flügelmuttern befestigt. Im Keller legt er die Kette in eine Blechwanne mit Rohöl. Er versucht, einen größeren Gang einzubauen. Der Versuch mißlingt.
Wo steckt der Junge nun wieder? fragt Madame, wenn sie sich zu Tisch setzt.
Wo wird er stecken, sagt Dolly; im Keller wohl; er mag den Kellergeruch.

Madame sagt: Unser Keller ist sauber. In unserem Keller riecht es nach nichts.
Er behauptet, es riecht nach Apfel, nach Öl, nach Eingemachtem, nach Faulem, nach geplätteter Wäsche.
Der mit seiner Nase, sagt Madame.
Die Mädchen kichern.
Nach dem Essen kleben sie Marken ein, Lebensmittelmarken, Rabattmarken. Schose hat vor einer Woche zwei Rabattmarkenhefte gestohlen.
Wenn Madame nichts merkt, sagt Dolores, mir solls recht sein.
Hast du jetzt wenigstens deine Turnschuhe?
Klar, daß die Mädchen nichts von der Schule halten. Was kann man auf einer Schule lernen, denken sie. Der Sport ist noch das beste daran. Der Sport und die langen Ferien. Ein sechzehn Jahre alter Mann sollte sich Arbeit suchen. Er könnte Geld verdienen. Er hätte das nicht nötig gehabt, mit den Rabattmarken! Schose ist ein hübscher Junge; für diesmal ist der Diebstahl entschuldigt. Aber wie soll das weitergehen? Immer öfter muß man ihn in Schutz nehmen. Schüler seiner Klasse arbeiten als Packer im elterlichen Betrieb, auf umliegenden Bauernhöfen, in einer der Uhrenfabriken, beim Hochbauamt.
Schose lächelt.
Kommt mir nicht damit! Habt ihr eine Ahnung! Er knöpft sein Hemd auf. Die Mädchen staunen. Außerdem bin ich ein Rekordmann, sagt Schose.
Er geht mit Wolf jeden Abend zum Training. Manchmal kommt noch einer mit, ein Mann in Wolfs Alter.
Was mit dem wohl los ist? fragt Madame. Woher kommt er? Was treibt er?
Er heißt Reubell. Dolly weiß es von einem Kunden. Er hat keinen Schweizerpaß, deshalb ist er dienstfrei; ein Ausländer.

Aber auch Wolf ist nicht aufgeboten worden. Weshalb? Man weiß es nicht. In dieser Zeit ist alles unklar.
Wolf hat ein schwaches Herz, sagt Dolores. Früher oder später leiden alle Sportler unter Herzklappenfehlern. Die Untersuchungskommission nimmt keine Leute mit Herzfehlern an. Wolf hat es erklärt; es hat etwas mit der Militärversicherung zu tun; ich habe vergessen, was er sagte.
Du mit deinem Sportlertick; Dolores ist eifersüchtig.
Madame auf dem Ledertisch wird unruhig. Sie hebt den Wattebausch vom linken Auge. Sie will nicht, daß sich die Mädchen streiten.
Dolores sagt: Sie fahren jeden Abend zum Training, alle drei. Reubell hat ein schwarzes Militärrad. Manchmal nimmt Wolf einen Ersatzreifen mit.
Wozu einen Ersatzreifen?
Wenn wir Naturstraßen haben, sagt Schose, am Bözingenberg beispielsweise. Der Berg ist nichts für die Dicken. Sie haben keinen Atem. Sie führen in den ersten Runden, das ist wahr. Sie lassen sich durch den Applaus anspornen. Dann wird die Straße schmal, am Waldrand sind dann keine Zuschauer mehr; es ist lustig, sich an einen Dicken zu hängen.
Die Mädchen brechen in Lachen aus. Wollten sie nicht eben wissen, wozu der Ersatzreifen gut sei? Sie lachen sich tot über die Dicken. Haben sie vielleicht schlechte Erfahrungen mit ihnen gemacht? Schose möchte sie gern danach fragen; er lacht nicht. Er arbeitet am Berg. Wolf ist mit seinen Fortschritten zufrieden.
Im September fängt es an zu regnen; es ist kühl geworden; nachts hat es Nebel. Der Blätterfall am Berg beginnt im Oktober. Die Verhältnisse sind schwieriger geworden, sagt Reubell. Wir müssen uns nach den Verhältnissen richten.

Wolf ist nicht seiner Meinung. Verhältnisse, dummes Zeug! Du bist kein Rennfahrer. Du hast es nicht im Blut. Du spielst bloß.
Reubell läßt sich nicht einschüchtern. Ich sehe eben mehr als ihr beide. Ich berechne die Chancen. Wir könnten das Talfahrt-Training fallenlassen. Hübsch hintereinander zu Tal fahren, was meint ihr? Wolf und Schose sehen es nicht so. Die Talfahrtzeit wird gestoppt; die Zeiten werden in ein schwarzes Wachstuchheft eingetragen. Jeden Sonntag stellt Wolf mit Tintenstift auf einer neuen Seite die Kolonne auf.
Reubell redet noch immer von Gefahr.
Mach mir den Jungen nicht kopfscheu, sagt Wolf.
Schose hat einen Traum. Er träumt von Schlachthöfen, von einem Haus aus Backsteinen mit einem Dach, aus dem viele Kamine ragen.
Dolores ist eine Traumdeuterin.
Jeder Mensch träumt, sagt Dolores. Das muß man sehr ernst nehmen! Du hast träumerische Augen, sagt sie. Es gibt Leute, die Tag und Nacht träumen. Sie sind eigentlich nie richtig wach.
Da kommt Wolf. Er trägt einen blauen Pullover und zu weite Hosen; sie sind mit Klammern zusammengehalten.
Wenn Wolf erscheint, wird Dolores unsicher.
Guten Abend, Herr Wolf.
Guten Abend, Dolores.
Dann also, ich habe zu tun. Was wird Madame sagen! Ich habe vergessen, das Kabinett herzurichten.
Auf der Straße rufen die Mütter nach ihren Kindern. Die Kinder hocken in den Oleanderbüschen an der Marktgasse.
Meine Mutter ruft mich viermal, sagt ein Junge. Wenn ich dann nicht komme, gibt es kein Abendbrot.

Meine ruft zehnmal, sagt ein Mädchen, und zu essen bekomme ich auch nachher noch.
Wo sich die Kinder wieder herumtreiben, sagen die Mütter. Man müßte sie besser beaufsichtigen. Man hat zu viel Arbeit. Die Männer sind im Militärdienst; man muß alles allein machen. Gott sei Dank gibt es keinen Verkehr. Die Straßen sind sicherer als vor dem Krieg. Bis der Krieg vorbei ist, sind die Kinder groß genug, um auf sich selbst aufzupassen.
Guten Abend, Herr Wolf.
Guten Abend.
Reubell wartet am Zentralplatz. Er sieht Wolf schon von weitem. Wolf hat das Blei mitgebracht. Er zieht die flachgewalzte Rolle aus der Hosentasche; sie wiegt ein Kilogramm. Sie wird unterm Sattel festgebunden. Reubell schüttelt den Kopf: ihr seid verrückt, drei Gewichte für den Jungen.
Wolf hat vergessen, den Bindfaden mitzubringen.
Bastschnur gibt es genug, sie ist stark genug für Tomaten und Rosen.
Draht wäre besser, sagt Reubell. Er hat eine Drahtrolle im Werkzeugkasten. Draht ist besser als der beste Bindfaden. Er will morgen welchen mitbringen, Stahldraht. Wolf hat nichts dagegen. Er kann einen Tag warten; es ist Oktober, die Wetterprognose sagt für Dienstag und Mittwoch schönes Wetter voraus, Flugwetter; Europa 1 warnt die Bewohner im Raum Mitteldeutschland; das Wetter wird sich halten, Bisenlage. Wolf hat von einem jungen Sprinter gelesen, Zeitfahrer, Strecke B in acht Minuten fünfunddreißig Sekunden je Runde.
Man hat oft von der einen Kurve gehört; die Leute reden viel. Die wirklichen Entscheidungen trifft die Stoppuhr; das Geschwätz zuvor und danach gehört nicht dazu.

Die Sportler selbst sind schlimmer als ihre Anhänger, sagt Reubell immer.
Wolf hat die Stoppuhr mitgebracht. Er legt sie neben das Wachstuchheft, er lehnt sich an sein Rad, er wartet in der untersten Kurve vor Neuenstadt. Der Sekundenzeiger zuckt übers Zifferblatt. Wie groß eine Sekunde ist. Die Uhr tickt zu laut. Die teuren Uhren ticken leise; man hört sie kaum; man muß sie ans Ohr halten, wenn man sie hören will.
Reubell wartet auf halber Höhe am Berg. Er hat keine Uhr mitgenommen.
Wozu eine Uhr? Ich habe euch gewarnt. Ihr hört nicht auf meine Ratschläge.
Reubell ist zu vorsichtig. Er rechnet dauernd mit einem Unglück. Hat er sich beklagt? Ist er unzufrieden? Er darf mitfahren. Wolf läßt ihn dabei sein. Schose hat nichts dagegen einzuwenden.
Reubell sieht die Spuren des Rades, da, wo sie vom Weg abkommen, sogar jetzt, in der Dämmerung. Er entdeckt die abgeschürfte, weiße Stelle an der freistehenden Kiefer weit unten am Hang; er findet das Rad im Unterholz, wo der Laubwald dicht steht, mitten in den jungen Stämmchen des aufgeforsteten Versuchsfeldes; hier ist es schon Nacht. Er findet Schose vierundzwanzig Schritte waldabwärts.
Reubell hält sich gut; er macht niemandem einen Vorwurf; er handelt mit Umsicht.
Jeder hat die Anleitungen gelesen, aber wer von uns erinnert sich daran, wenn es gilt: Kopf zur Seite, Achtung, Erstickungsgefahr, Knöpfe öffnen, Vorsicht, Rückenverletzungen, wenn nötig künstlich beatmen, stark blutende Wunden abbinden, immer herzwärts, Zeit der Abbindung auf Begleitzettel notieren.

Reubell ist ein wirklicher Samariter; er wäre gerne Arzt geworden, Arzt, Förster, Künstler, Rennfahrer; Reubell ist ein Mensch mit Phantasie, ein empfindsamer Mensch, einer, der in jeder Krise vernünftig handelt.
Zusammen mit Wolf bringt er Schose im Zug nach Hause. Der Zug kommt aus Genf; er hat einen Wagen erster Klasse. Die meisten Reisenden sind in Lausanne oder in Auvernier ausgestiegen; ein oder zwei Fenster werden geöffnet, man sieht ein paar Gesichter.
Vorhänge zu! rufen die Schaffner. Verdunkelung! Wir fahren gleich weiter!
Der Bahnhofvorstand verabschiedet sich. Er hat telefonisch um einen Halt in Neuenstadt gebeten. Der Zugführer winkt mit einem Tuch in die Richtung des Bahnhofs. Es ist zehn Uhr.
Der Junge hat Glück gehabt; eine Hirnerschütterung, sagt der Neuenstädter Arzt; Beinbruch, Waden- und Schienbein des linken Beines; Quetschwunden am Körper; ein Riß an der Stirn.
Wolf studiert die Kolonnen in seinem Wachstuchheft. Er hat die Beine ausgestreckt. Er schwitzt.
Ich werde das Rad in Ordnung bringen. Das Rad muß in Ordnung sein. Ich werde einen größeren Gang einbauen; den hat sich Schose schon lange gewünscht. Im ungeheizten Abteil beginnt Wolf laut zu reden.
Der Bruch, das ist rasch ausgeheilt. Daran liegt es nicht. Noch vor Weihnachten kann der Junge wieder im Sattel sitzen. Er ist begabt. Er hat das Zeug zu einem guten Rennfahrer; Tour de Suisse, Giro d'Italia, das Zeitfahren von Lugano, das Omnium im Hallenstadion. Ich habe mir immer einen begabten Schüler gewünscht. Jetzt der Unfall, noch bevor wir überhaupt angefangen haben; nach einem Unfall sind sie anders.

Reubell blättert in der Revue des Verkehrsvereins. Sie hängt in jedem Wagen der SBB. Er schaut die Bilder an; er liest den Kommentar in den vier Landessprachen. Ein kleiner Pfeil ohne Schaft zeigt das zugehörige Bild, oben, links, links unten.
Er ist schon lange nicht mehr in einem Zug gefahren. Er ist müde. Er müßte den Jungen besser zudecken. Vielleicht friert er? Man muß an die Schockwirkung denken.
Schose liegt den beiden Männern gegenüber auf der gepolsterten Bank; er ist noch nicht erwacht. Im Gepäcknetz über seinem Gesicht pendelt die Verordnung des Kriegswirtschaftsamtes. Reubell versucht sie zu lesen.
Seine Augen sind schlechter geworden. Er müßte vielleicht doch eine Brille tragen. Ältere Leute sollen weitsichtig sein, sagt man; er ist kurzsichtig. Das Fettgedruckte kann er zur Not entziffern: Vorräte, Fliegeralarm, Reden schadet der Heimat.
Ein Reisender hat die drei letzten Buchstaben mit seinem Taschenmesser ausgekratzt.
Wolf öffnet das Fenster. Der See schiebt sich an die Straße; der Zug legt sich in die Kurve vor der Bahnhofeinfahrt. Ein schwaches, bläuliches Licht liegt über der Stadt. Das Glasdach der Bahnhofhalle hat eine Blende.
Die Samaritergruppe hat Vorbereitungen getroffen. In Uniformen stehen FHD-Mädchen herum. Sie haben eine Bahre mitgebracht und zwei Armee-Wolldecken aus Kamelhaar, mit dem roten Kreuz darauf. Schose wird ausgestreckt, zugedeckt und festgebunden. Wolf kümmert sich um die Rennräder im Postwagen.
Was ist los? sagen die Reisenden.
Eine kleine Aufregung, ein Unfall, nichts von Bedeutung. Schon auf dem Bahnhofplatz ist alles vorbei. Die Straßen sind leer unter dem blauen Licht der Laternen; und hier

sind die Gärten. Es sind die Gärten des Jahres 1943; der Phlox blüht nicht mehr, die Rosen blühen noch. Die Gärten an der Marktgasse: hat es da je Gärten gegeben? Es ist erlaubt zu fragen; man möchte die Wahrheit wissen. Man weiß es nicht besser. Wenn man die Wahrheit erfahren will, fragt man. Wer sich Gärten vorstellt, redet von Gärten. Wer die aufgerissene Asphaltdecke in Erinnerung behält, sagt: in den Fugen wächst Gras. Wenn es nicht Asphalt war, was ist es denn gewesen? Nun, Pflastersteine könnten es gewesen sein.

Asphalt und Pflastersteine, Asphalt, Pflaster und Hecken. Die Gärten des Jahres 1943 sind jetzt Novembergärten. Weitsichtig planende Hausbesitzer haben winterharte Sträucher gepflanzt: Thuja, Buchs, Eibenhecken. Wer hat im Quartier schon Meisen gesehen? Ja, Spatzen, Tauben, Amseln; und jetzt auch Möwen.

Es wird ein strenger Winter werden, sagen die Leute. Die Möwen sind früh gekommen dies Jahr. Die Schwalben sind im Oktober weggezogen; da waren die Möwen schon da. Im Hafen, auf den Leuchttürmen, an den Molen. Der Nebel ist zu früh gekommen.

Schoses Kameraden erkundigen sich nach der Gesundheit des Verletzten. Sie versuchen, Dolores oder Dolly unter der Tür anzutreffen. Sie verstecken sich in der Nähe des Hauses in einem seit Jahren halbverfallenen Bau. Wenn sie eines der Mädchen sehen, gehen sie über die Straße. Sie überholen es sogar, schlendern weiter und schauen sich um, bei Gelegenheit.

Ach, guten Tag, das ist ja Fräulein Dolores.

Guten Tag, Herr Kerr. Wie es regnet! Haben Sie keinen Schirm mitgenommen? Nicht einmal einen Mantel tragen Sie.

Es wird wieder aufhören, hoffe ich.

Das glaube ich nicht. Im Radio sprechen sie von einer Kältewelle; es soll Schnee geben, bis tausend Meter. Aber ich langweile Sie, Herr Kerr, Sie haben zu tun, ich muß gehen, auf Wiedersehn.
Auf Wiedersehn, Fräulein Dolores. Sagen Sie Schose einen Gruß.
Ich werds ausrichten, danke.
Nicht einmal den Hund hat sie mitgenommen, sagt Kerr zu seinen Kameraden. Die verdammte Bulldogge müßte ja manchmal an einem Baum stehenbleiben.
Dolores redet gerne vom Wetter. In ihrem Dorf reden alle Leute vom Wetter, wenn sie sich auf der Straße begegnen.
Der See, Herr Kerr, im Sommer ist er ja herrlich; aber im Winter bringt er Nebel. Dagegen kann man nichts machen. Manche Leute mögen den Nebel. Die Engländerinnen bekommen davon einen schönen Teint.
Kerr ahmt Dolores Stimme nach. Die Jungen lachen.
Sie haben sich im Kino an der Marktgasse ihren Beobachtungsposten eingerichtet, auf der Höhe von Schoses Zimmer. Das Opernglas zeigt Schatten hinter dem Vorhang.
Der Arzt kommt zweimal in der Woche. Er fährt einen Citroen elf mit Holzkohlenvergaser. Er hat Militärkontrollschilder. Der Arzt ist in Uniform. Er fährt in die Marktgasse, wendet den Wagen, parkt ihn am linken Straßenrand, steigt aus, greift nach seiner Tasche, drückt sorgfältig die Tür ins Schloß, richtet sich auf und blickt auf die Uhr. Es ist halb fünf. Er schiebt den Perlenvorhang zur Seite und öffnet die Tür; er betritt das Haus durch den Eingang zum Salon. Auf der Treppe steht Madame.
Oh, Doktor, ich kann Ihnen heute nicht die Hand geben.
Sie hat in Paris Konversation gelernt. Sie zeigt ihre Hand, eine kleine fette Hand, die mit Lippenstift beschmiert ist.

Unsere Kundinnen, Doktor, Sie wissen, wie die Frauen sind. Die Farbe eines Lippenstiftes läßt sich nur auf der menschlichen Haut zeigen. Ich stelle zur Verfügung, was ich habe: meine Hände.

Der Doktor scheint von der Affäre wegen ihres Salons gehört zu haben. Er kümmert sich nicht um Gerüchte.

Nun, wie steht es, Madame?

Es geht ihm besser. Sie haben vollkommen recht gehabt, das Fieber ist gesunken.

Hat er schon etwas Appetit?

Dolores! ruft Madame. Er hat Kompott gegessen und Tee getrunken. Er hat sogar Zwieback verlangt. Übermorgen ist sein Geburtstag. An einem Dreizehnten, an einem Freitag, Doktor.

Dolores lächelt. Sie haben mich gerufen, Madame?

Tragen Sie dem Doktor die Tasche.

Der Doktor wehrt sich. Er will die Tasche nicht aus der Hand geben. Vorsichtig betritt er die Treppe.

Nach Ihnen, Madame.

Dolores, geh dem Doktor voran. Setz den Tee auf.

Sie nehmen doch nachher den Tee mit uns, Doktor? Ich dulde nicht, daß Sie heute wieder ablehnen. Wir sind Ihnen alle zu Dank verpflichtet; lassen Sie uns etwas für Sie tun.

Um sieben steht der Wagen noch immer da. Die Scheiben sind beschlagen. Mit dem Finger läßt sich auf den Kotflügel schreiben: Pfui, Schwein.

Der Doktor sagt, der Junge werde nicht gut gepflegt. Er veranlaßt nach dem vierten Besuch, daß eine Pflegerin, eine Witwe, eine ältere Frau mit Krankenschwesterdiplom, eingestellt wird. Er glaubt nicht, daß Senfwickel das Richtige sind. Er hält Wechselbäder im Augenblick für verfrüht. Er möchte, daß Schoses Kameraden am Geburtstag zu Besuch kommen. Die Mädchen werden eine Möglichkeit finden, sie heraufzubitten. Er wird seinen Wagen nicht mehr in der Marktgasse parken. Die Kanalgasse ist, auch während der Verdunkelungszeit, besser beleuchtet. Ihre Asphaltdecke ist nicht beschädigt.

Die Kanalgasse ist kein Hinterhausgang wie die Marktgasse. Madame führt im Vorderhaus an der Kanalgasse einen gut besuchten Friseursalon für Damen; Massage und Körperpflege inbegriffen. Über das Hinterhaus wird viel geflüstert.

Dolores hat zu Schoses Geburtstagsfest eine Torte gebakken. Madame wundert sich, daß Dolores backen kann; auch Dolly ist erstaunt. Wo sie das wohl gelernt hat? Vielleicht zu Hause? Woher kommt Dolores?

Am Wegrand gefunden worden. Von der Mutter verstoßen. An einem heißen Sommertag in einem Apfelbaum aufgegangen. Dolores lacht nur. Sie hat einen Kuchen gebacken. Was ist dabei? Butter, Zucker und Schokolade: sie kennt die Kriegsrezepte nicht. Sie hat den Kuchen groß genug gemacht für sechzehn Kerzen.

Erst gegen Abend erscheinen die Schulfreunde. Sie haben die Einladung rechtzeitig bekommen. Tillmann trägt seine Sonntagshose. Dewald hat sich gekämmt. Sie haben Geschenke mitgebracht, in Papier eingewickelt und verschnürt, als müßten sie die Pakete zur Post bringen. Kerr zieht sein Messer aus der Tasche; er ist Pfadfinder und seit Monaten in Uniform, selbst jetzt, im November.

Setzt euch doch, sagt Schose.

Er hat ein eigenes Zimmer. Die Schulfreunde sind verlegen. Wie geht es dir? Was machst du den ganzen Tag? Bist du immer allein hier drin? Und dein Bein? Was sagt Wolf?

Dewald faltet die Papiere. Auf der Bettdecke liegen die

Geschenke; Schose freut sich am meisten über ein Schachlehrbuch.
Wie geht's in der Schule?
Sie haben Schwierigkeiten in der Schule.
Es ist nicht viel los. Es lohnt sich kaum, davon zu reden. Höchstens die Sache mit dem Singlehrer und dem Rektor. Sie mögen ihren Singlehrer nicht; sie haben schon alle den Stimmbruch. Der Singlehrer soll den Juden der Klasse, Aron Dewald, geohrfeigt haben. Dewald hat mit einem Zwanzig-Rappen-Stück Namen in die Aulabänke geschnitten; er hat Herzen und Buchstaben ins Holz geritzt. Der Singlehrer hat einen Verweis erhalten. Die Schweiz ist ein neutrales Land; man hat Rücksichten zu nehmen.
Der Lehrer sitzt im Glashaus, sagt der Rektor zu ihm. Sind nicht Körperstrafen durch Kommissionsbeschluß im März 1910 verboten worden?
Schose kann sich den Singlehrer vorstellen, wie er sich entschuldigt. Wenn er verlegen ist, fährt er sich durchs Haar. Er hat dichtes, graues Haar. Er ist einen Meter neunzig groß; ein großer Mann mit schweren Augenlidern. Er hat die Lehrstelle vor dem Krieg angenommen; von Zeit zu Zeit komponiert er ein Lied.
Die Klasse mag ihn nicht. Er ist anders als die andern Lehrer. Er schlenkert die Arme beim Gehen; er wackelt mit dem Kopf. Er ist kein Sportler.
Er hat sich in der Aula öffentlich zu seinem Fehler zu bekennen. Die Klasse ist vollzählig versammelt. Auch die Eltern sind da.
Der Singlehrer liest seine Entschuldigung von einem Blatt ab. Er spricht Hochdeutsch.
Lauter reden! ruft einer in der dritten Bank; noch lauter!
Und jetzt?
Kerr sagt: Jetzt kommen wir gut mit ihm aus. Er liest uns

alle Briefe vor, die unsere Eltern an ihn schreiben. Er erklärt uns die Briefe. Manche beschimpfen ihn. Viele beglückwünschen ihn zu seiner Tat. Manche haben keine Unterschrift und sind nur eine Zeile lang.

Das also ist die Schule; es lohnt sich nicht, davon zu reden. Es gibt wieder Zensurarbeiten, wie immer vor Weihnachten. Darf Schose Kerrs Hefte haben? Das läßt sich machen; Kerr will schon morgen vorbeikommen.

Auf dem Kuchen brennt nur noch eine Kerze, ein kleines rotes Stäbchen. Nach einer Weile neigt es sich über die Kandisfrucht am Rand und erlöscht jäh im Zuckerguß. Der Kuchen muß angeschnitten werden. Kerr zieht sein Messer.

Solingen, der beste Stahl der Welt, sagt sein Vater immer. Kerr rühmt die Unterschrift seines Vaters. Wie gestochen, jeder Buchstabe, mit immer derselben schwarzen Tinte, die man nirgends kaufen kann.

Dolores bringt Tee und Gläser.

Dolores beobachtet Kerr. Wie geschickt er sein Messer handhabt. Pfadfinder lernen am Samstagnachmittag mit dem Messer umzugehen. Sie schneiden Haselstecken für die Erste Hilfe; der Rover zeigt ihnen, wie das Messer zu führen ist, Spitze nach unten, Klinge vom Körper weg.

Dolores wartet auf ein Lob; die Jungen haben seit Monaten keine Zuckertorte bekommen. Die Schokoladerationen sind klein; wer keine Butter hat, nimmt Mandelfett. Nicht jedermann hat Dolores' Beziehungen.

Der Kuchen schmeckt den Jungen. Sie reden mit vollem Mund; sie haben Dolores vergessen.

Ach, die Rennen, sagt Tillmann. Wir haben jetzt doch keine Zeit mehr. Kerr ist Rover, Schiegg nimmt Klavierstunden im Konservatorium, und mir hat man mein Rad gestohlen. Wie ich von der Schule komme, ist es nicht mehr da.

Sie haben neue Pläne: Kerr, der Wolf, der nie schläft; Dewald, ab nach Schweden mit roten Stiefeln. Schiegg wird Klavierlehrer, Tillmann Versicherungsmann; man hat ihm sein Rad gestohlen; er wird daraus eine Lehre fürs Leben ziehen. Er versucht, aus den täglichen Erfahrungen zu lernen. Die Zukunft kann nur durch die Lehren der Vergangenheit gemeistert werden, sagt er.
Manchmal schweigen alle. In der plötzlichen Stille sind die Töne des Harmoniums zu hören, seltener die Stimmen. Die Heilsarmee unterm Dach hat ihre Feierabendversammlung begonnen. Es ist auch schon dämmerig. Kerr macht Licht. Der Kuchen wird aufgegessen, der Tee muß ausgetrunken werden.
Schose sagt: Wolf hat mein Rad geflickt. Du kannst es haben, bis ich es wieder brauche, Tillmann. Ich gebe dir einen Zettel mit. Ohne Zettel gibt Wolf nichts her. Er bewahrt die Zettel in Ordnern auf. Er wird grob, wenn man keine Quittung hat. Wenn er dir das Rad gibt, schau nach, ob die Reifen gut gepumpt sind; er legt Wert darauf.
Tillmann läßt sich gerne beraten. Er wird zunächst bei Wolf herumstehen; er wird einen günstigen Augenblick abwarten. Tillmann verspricht alles.
Schön, dann auf Wiedersehen, morgen oder übermorgen. Kerr, bringst du deine Hefte mit?
Gleich kommt die Pflegerin. Alles hat seine Ordnung. Die Pflegerin darf nicht durch die Gäste behindert werden. Sie schüttelt dem Kranken die Kissen auf. Sie liebt ihren Beruf; sie kennt ihr Handwerk. Linkische Menschen werden den Krankenpflegerinnenberuf nicht ergreifen. Sie holt Wasser und Seife; sie schirmt die Lampe ab; sie öffnet das Fenster.
Schlafen Sie rasch ein! Heute sind wir aber spät dran. Ich wünsche Ihnen eine gute Nacht. Morgen fühlen Sie sich

wie neugeboren. Morgen ist das Fieber weg! Hier, nehmen Sie Ihre Tropfen.

Schose schließt die Augen; er ist nicht müde. Die Maikäfer! Das war eine schöne Zeit. Sie bereiten sich zum Abflug vor. Man darf sie dabei nicht stören. Sie klettern auf einen Grashalm. Sie atmen. Ihre Deckflügel heben und senken sich, ihre Fühler tasten herum. Sie starten; man schlägt zu. Wie schön ihr lateinischer Name ist. Melolontha melolontha. Hunderte von ihnen getötet.

Schose öffnet die Augen. Sein Zimmer ist dunkel. Es hat keine Wände.

Die Stadt schläft noch nicht. Leute gehen auf der Straße, Stimmen sind im Haus; vielleicht kommt Dolores? Er liebt ihren Duft. Sie sagt: Du bist erst sechzehn. Was würde Madame sagen, wenn sie wüßte, daß ich zu dir komme?

Er ist schon sechzehn. Er ist kein Junge mehr.

Er wird wieder zur Schule gehen. Er wird kein Rennfahrer werden. In den Geschäften werden sie ihn bald Herr Ledermann nennen.

Dolores, nimm das Kissen weg.

Im Salon lacht Madame. Sie lacht lange, mit einer tiefen Stimme. Sie unterbricht sich plötzlich; dann folgt ein kurzes Lachen, hoch, leise.

Männer werfen Steine nach dem eisernen Schild über der Straße. Das Schild ist an zwei Ketten an einem Mauerhaken befestigt: es zeigt ein offenes Messer über einer Schere. Salon Ledermann. Ein Bordell, wenn man den Gerüchten glauben darf.

Am Morgen schläft Schose. Der Morgenlärm stört ihn nicht. Er schläft tief. Die Pflegerin schüttelt den Kopf. Sie liebt es nicht, wenn ihre Patienten um neun Uhr noch schlafen. Im Krankenhaus beginnt der Tag um sechs. Morgenschläfer mag man nicht in Krankenhäusern. Für sie ist hier kein Platz. Anständige Menschen gehen früh zu Bett und stehen früh auf. Die Pflegerin ist der Meinung, daß Schlaf vor Mitternacht erholsam sei. Sie ist um zehn Uhr abends müde. Die Arbeit im Krankenhaus hat ihr gefallen. Um sieben wird Fieber gemessen. In Privathäusern ist das anders. Die Pflegerin hat gelernt, Rücksicht zu nehmen. Sie geht durchs Zimmer und klappert mit dem Geschirr. Sie räumt die Bettdecke ab. Sie raschelt mit Packpapier. Sie redet vor sich hin. Sie öffnet das Fenster, sie schließt das Fenster. Sie setzt sich an den Tisch. Die Fotografien über Schoses Bett gefallen ihr nicht. Auch Anquetils Lächeln würde daran nichts ändern. Die Wand ist ihr fremd. Das Tapetenmuster stößt sie ab, es macht sie unsicher.

Herr Schose, es ist Zeit.

Die Risse in den Schränken sind mit Kitt gestopft und dann übermalt worden. Der Sprung in der Gipsdecke reicht jetzt bis an die Rosette, er zieht sich über die ganze Ostwand. Die Wand wölbt sich unter der Tapete.

Wie haben wir geschlafen, Herr Schose? Hatten Sie eine gute Nacht?

Welche Anstrengung, den Jungen zu wecken!

Am Nachmittag kommt Wolf. Es ist sein erster Besuch. Er hat die Mütze nicht aufgehängt. Er trägt keine Jacke. Er hat ein Bild von Fausto Coppi mitgebracht. Wo ist Reubell? Wolf weiß es nicht. Wolf hat in seinem Geschäft zu tun. Der Radfahrerverein von Biel und Umgebung hat ihn als Trainer aufgeboten. Ist Schose noch nie bei einer Radfahrersoirée gewesen? Die Kunstradfahrer werden trainiert. Sie fahren auf dem Einrad Ballett zur Grammophonmusik. Wolf hilft jedes Jahr bei den Vorbereitungen. Es ist eine Art Reklame, er tut es gerne. Der Radfahrerverein braucht ihn. Er kann mit den Jungen umgehen, er sorgt für Disziplin. Es freut ihn, wenn man ohne ihn nicht auskommt. Die Frauen der Radfahrer schmücken den Rößlisaal; sie spannen Kreppapier von Lampe zu Lampe, Girlanden, heißt es richtig.

Manchmal hilft ihnen der Wirt. Es gibt viel zu tun; die Polizei wird eingeladen; ein Erlaubnisschein für die Freinacht ist einzuholen. Tische müssen mit Abdeckpapier belegt werden. Die Jungen verlangen eine andere Musik.

Immer nur Polka und Walzer, das paßt uns nicht, sagen sie. Man muß ihren Wünschen Rechnung tragen, sagt Wolf. In einem Verein müssen sich die jungen Leute wohlfühlen. Hat man vergessen, die Tanzerlaubnis einzuholen? Ein Mann der Securitas verkauft die Tanzbänder mit den Eintrittskarten; Behördenmitglieder dürfen gratis teilnehmen. Ein Journalist fotografiert einen Gemeinderat; zwei Stadträte stellen sich vor die Kamera. Der Verein ist über den Besuch von Behördenmitgliedern erfreut. Er hat seine Anliegen; die Behördenmitglieder nehmen an der Abendunterhaltung Kenntnis von den Problemen; sie versprechen dem Verein volle Unterstützung; der Verein wird ihre Wiederwahl in die Behörde im nächsten Frühling befürworten. Reden werden gehalten; dann folgt der zweite Teil, der bunte. Erst wenn alle Lose verkauft sind, kommt Wolf dran. Er wird auf die Bühne geführt; die Augen werden ihm verbunden. Die Leute klatschen. Zwei Ehrendamen führen Wolf zwischen den Bühnenvorhängen auf und ab. Wolf ist überall beliebt. Die Ehrendamen küssen ihn und kontrollieren den Sitz der Augenbinde. Sie bringen ihn zum Glücksrad; er spürt die Hitze der Scheinwerfer im Rücken. Im Saal wird es still. Das Rad dreht sich; Metall schlägt auf Metall, das Rad steht. Die Ehrendamen rufen Zahlen aus. Im Saal antworten aufgeregte Stimmen. Wie viele schöne Preise es wieder gibt! Sogar Schinken,

Wein, Fruchtkörbe mit Malagatrauben aus dem Tessin, selbstgebackene Kuchen.

Schweißgebadet und von den Gewinnern umringt, dreht Wolf das Glücksrad. Viele Stimmen wiederholen die Treffer-Nummern. Die Ehrendamen sind heiser geworden.

So fröhlich geht es im Radfahrerverein zu. Schose wäre gerne dabei; er ist sechzehn gewesen.

Von sechzehn an darf er ohne Begleitung Erwachsener am Fest teilnehmen.

Wolf, im Krankenzimmer, zieht die Mütze, kratzt sich im Haar, setzt die Mütze auf. Ist er gekommen, um von der Soirée zu reden? Hat nicht Tillmann mit ihm gesprochen? Das Rad ist geflickt worden. Man hat auch einen vierten Gang eingebaut. Es ist ein gutes Rad; der Rahmen hat eine Schweißstelle an der linken Hinterradgabel.

Auf einmal ist die Pflegerin wieder im Zimmer. Wolf steht auf.

Ich habe noch zu tun. Niemand will bei den Vorbereitungen helfen; erst am Fest wollen alle dabei sein. Das Weihnachtsfest des Radfahrervereins will keiner versäumen. Vielleicht wirst du doch kommen können?

Wolf gibt Schose die Hand. An der Tür dreht er sich nochmals um.

Ich habe dein Rad zurechtgemacht, den vierten Gang. Soll ichs Tillmann ausleihen? Versteht er etwas von der Sache?

Er hat eine Dreiseen-Rundfahrt mitgemacht, sagt Schose.

Dann also, auf Wiedersehen! Mach, daß du bald gesund wirst. Nach Neujahr nehmen wir das Training wieder auf, verstanden? Dann hast du harte Arbeit vor dir. Ein Sportsmann: das ist Arbeit, Mühe, Geduld. Bis später also.

Wolf gibt ihm die Hand. Er hat schmale Hände.

Die Pflegerin lächelt.

Auf Wiedersehen, Herr Wolf.

Auf Wiedersehen.
Wolf findet sich allein zurecht. Das Haus ist still. Er benützt den Haupteingang an der Kanalgasse. Er überquert die Gasse; da ist der Kanal. Wolf spuckt ins Wasser; das macht hier jeder so. Er greift unter den Pullover und holt das Wachstuchheft hervor. Er öffnet es nicht, er zerreißt es nicht. Das Heft fällt ins Wasser.
Wolf geht weiter; hier ist der Kanal schon gedeckt.

# 2

Vielleicht sollte Schose einen Bleistift und ein Blatt Papier auf dem Nachttisch bereitlegen?
Die Pflegerin ist entsetzt über seine Träume. Es macht ihm Spaß, sie einzuschüchtern.
Dolores würde merken, daß er lügt. Dolores kann wahre Träume von erfundenen unterscheiden. Die Pflegerin hingegen glaubt, was man ihr erzählt.
Ich werde den Arzt bitten, Ihnen ein Schlafmittel zu geben. Der Schlaf vor Mitternacht ist am gesündesten. Sie verschlafen halbe Tage, und nachts liegen Sie wach.
Schose sagt: Hören Sie nur, was ich wieder geträumt habe.
Die Pflegerin ist ratlos. Sie greift nach ihrer Mütze mit dem blauen Schirm aus Zelluloid; sie hat das mögliche getan, um den Kranken zu beruhigen. Sie hat eine hölzerne Schwalbe ans Fenster gehängt. Das Zimmer ist gemütlich eingerichtet, die Wäsche im Schrank geordnet, der Boden geschrubbt. Sogar die Fotografien der Rennfahrer an den Wänden sind verschwunden.
Schose erzählt seinen Traum. Die Pflegerin befestigt die Tücher auf dem Tisch mit den Klammern, die Dolly im Warenhaus gekauft hat. Beinahe hätte sie die Lampe umgestoßen.
Hat sie gestern nicht vergessen, das Essigwasser nachzufüllen?
Gleich muß sie nachsehen, die Sache duldet keinen Aufschub. Was man nicht gleich erledigt, wird vergessen. Das Pflegepersonal muß es in allen Dingen genau nehmen. Nichts darf unterlassen werden; manchmal entscheiden Kleinigkeiten über Leben und Sterben eines Patienten. Wenn die jungen Lehrschwestern doch endlich begreifen

würden! Sie reden vom Lohn und von der Freizeit! Das Wort Pflicht scheinen sie nicht zu kennen. Sie sind nicht bereit, stillschweigend die Befehle der Vorgesetzten zu befolgen. Wo wird das noch hinführen? Eine Welt ohne Ideale.

Ärzte und Schwestern müssen zusammenhalten, sagt auch Reubell. Eine gute Pflegerin ist unersetzlich.

Wie höflich Reubell sein kann. Er ist pünktlich. Wenn er sich auf zwei Uhr ansagt, steht er um zwei vor der Tür.

Man spürt, er hat Lebenserfahrungen gemacht, er hat Schweres zu tragen. Das Leid hat ihn geläutert. Er ist einsam. Niemand sorgt für ihn. Er ist gewohnt, Rücksicht zu nehmen. Jeder weiß, er lebt in einer Zweizimmerwohnung oben in der Altstadt. Die Wirtinnen sind streng mit ihren Untermietern; die Wäsche muß jeden Montagabend abgegeben werden; das Bad steht nur am Wochenende zur Verfügung; nach zehn Uhr abends werden keine Besuche mehr geduldet. Man bittet die Herren, Pantoffeln zu tragen. Das Rauchen in den Zimmern ist zu unterlassen. Reubell würde sich nicht erlauben, nach acht Uhr zu telefonieren. Abends geht er nie aus; abends liest Herr Reubell. Er ist ein gelehrter Mann; er hat eine kultivierte, leise Stimme. Er ist gegen Überraschungen gefeit. Viele Leute gehen aus, ohne mit einem Blick den Himmel zu prüfen? Nicht so Herr Reubell. Er nimmt einen Regenschirm mit; den Regenmantel trägt er gefaltet über dem linken Unterarm.

Soll sich die Pflegerin Herrn Reubell anvertrauen? Sie sieht ihn von Zeit zu Zeit auf seinen Spaziergängen; er hat sie nicht entdeckt; wie froh sie ist.

Reubell geht bis zur Kreuzung; dort biegt er in die Kanalgasse ein. Über einem der Hydranten steht ein Zelt. Auf der Sohle ist eine Arbeit im Gange. Wovon reden die Arbeiter? Ihre Stimmen hallen im Schacht. Man versteht, was geflüstert wird. Reubell geht weiter. Hat er die beiden Polizisten auf dem Gehsteig gesehen? Er beeilt sich, in den Schutz der Mauern zu gelangen; die Bise weht; das Plakat hat sich von der Bretterwand gelöst, der Wind hat es zerfetzt, man kennt die Farben; den Soldaten, seinen riesigen Schatten, das Mädchen und den Text: – hört mit.

Reubell besucht Schose. Er wechselt auch mit der Pflegerin ein paar Worte. Wie angenehm seine Stimme klingt.

Sie haben eine schöne blaue Schildmütze.

Sie erinnert sich nicht mehr genau. Hat er gemeint: Blau wäre mir auch recht? Ich bliebe bei Blau?

Dann würde sie gesagt haben: In den Sanitätsgeschäften gibt es heutzutage keine blauen Schilder mehr, und er: Nun, lassen Sie sich schwarze zeigen. Und sie: Es gibt auch keine weißen.

Sie errötet, ist gleich verlegen, und findet keine Antwort. Reubell ist ein Mann mit Takt. Er versteht sich auf die Farben. Er deutet sie. Er hat mit Schose von Sternbildern gesprochen, und demnächst wird er ein goldenes Pendel mitbringen. Herr Reubell ist kein Kurpfuscher. Man darf sich ihm anvertrauen. Selbst ein Arzt kann von ihm lernen, so bescheiden ist er.

Die Pflegerin steht auf. Reubell verbeugt sich: Guten Abend, Schwester.

Wollen Sie schon gehen, Herr Reubell? Ich höre Ihnen so gerne zu.

Es ist spät, fürchte ich. Ich möchte Sie auf keinen Fall stören.

Und schon hat er das Zimmer verlassen.

Auf Nachtwache liest die Pflegerin die Weltwoche. Die Sonderzulagen für Fleisch und Mehl können jetzt eingelöst werden; frische Bananen sind doch noch eingetroffen. Sie erfährt aus der Zeitung, daß Herrn Reubells Bruder

zusammen mit sechs anderen Résistanceleuten an der Nordwand der Franziskanerkirche in Colmar erschossen worden ist.
Die Namen ihrer Vorfahren sind auf der Donatorenliste des Grünewald-Museums von Unterlinden vermerkt: Gabriel Morel, Dr. A. de Szendeffy mit Berthe née Molly und sein Großvater, Edmond Reubell.
Die Pflegerin nimmt sich vor, dem Museum nach dem Krieg einen Besuch abzustatten. Der Schwesternverein ist für Reisevorschläge aufgeschlossen. Vielleicht wird man auch den Résistanceleuten eine Tafel errichten, wer weiß? Ein General ist zu manchem fähig.
Weshalb hat Herr Reubell nicht von seinem Bruder erzählt? Kann man sich ihr nicht anvertrauen? Hat sie je ein Geheimnis verraten? Solche Gedanken quälen sie während der Nachtwache.
Es ist nicht leicht, sich im täglichen Leben einzurichten. Man ist nicht auf Veränderungen gefaßt. Was wäre man ohne Selbstgespräche?
Die Turmuhr der reformierten Kirche schlägt zwei; eine Stunde später folgt das Glockenspiel der englischen Kapelle; eine Stunde später hört man am Brunnen die Katzen. Monique, Schoses Schwester, kommt am frühen Morgen herüber. Kann sie wieder nicht einschlafen? Sie trägt einen Morgenmantel, ihre Haare sind offen. Schose schläft, die Pflegerin stellt sich schlafend. Noch nie hat sie ihre Pflicht versäumt. Sie liest im blauen Schutz ihres Augenschirms. Sie empfindet den Zugwind als unangenehm, die Taubstummen erregen ihren Verdacht, die Mädchen haßt sie; am Abend blickt sie auf die Schwalbe am Fensterkreuz.
Jeden Montag werden in der Metzgerei Schweinsfüße gebraten; den Geruch erträgt sie nicht. Am Montag bleibt

das Fenster geschlossen. Am Dienstag wird es geöffnet. Der Kranke muß zugedeckt werden; wie unruhig er schläft! Man ist in Sicherheit. Die Bomber überfliegen die Stadt, die Fenster klirren nicht; gut, daß sie offen geblieben sind! Kein Zweifel, die Pflegerin wird sich bald versetzen lassen.
Kerr ist wiedergekommen. Er bringt die Hefte mit, Mathematik, Physik, Zoologie.
Die Zeichnungen sind mit farbiger Tusche auszuführen, so will es der Zoologielehrer. Die Formeln sind mit roter Tinte an den Rand des Heftes zu setzen. Kerr lacht über die Tintenflecke in Schoses Heft.
Er hat viel zu erzählen. Bei den Pfadfindern ist immer etwas los. Sie veranstalten eine Geldsammlung. Sie haben sich gruppenweise auf das Weihnachtsfest vorbereitet, Weihnachten ist in vierzehn Tagen. Sie tragen Uniform, in der Schule hat man es ihnen erlaubt. Sie singen Weihnachtslieder. Ein paar Rover spielen Gitarre. Vor Weihnachten richten sie sich mit ihren Kochkesseln auf den Plätzen der Stadt ein.
Die Pfadfinder tun Gutes. Sie unterstützen den Soldaten, der keine Angehörigen hat. Manche Frau strickt zu Hause für den einsamen Soldaten Strümpfe. Die Strümpfe bringt sie den Pfadfindern. Sie macht ein Paket zurecht, Strümpfe, Unterwäsche, Schokolade, eine Weihnachtskerze. Sie schreibt einen Brief: Lieber unbekannter Soldat!
Die Pfadfinder wissen, an wen sie die Pakete weiterleiten müssen.
Kerr kann nicht verstehen, daß seine Kameraden nicht Pfadfinder geworden sind: Dewald, zum Beispiel, der ganze Tage an seinem Klavier verbummelt, und Tillmann.
Was ist mit Tillmann passiert?
Darüber will Kerr nicht reden.

Schose ist noch immer nicht gesund; der Doktor hat ihm Ruhe verordnet, leichtes Essen, höchstens eine Stunde Schularbeiten. Den Gips will man nach Neujahr entfernen; er ist nicht mehr schön; Schose hat ihn mit Tintenstift beschrieben. Verschmiert, sagt Madame; sie versteht nichts von Mathematik. Nach Neujahr wird man weitersehen. Vielleicht ist das Bein nicht richtig verheilt? Es wird nicht leicht sein, gehen zu lernen. Man wird sich Krücken mieten müssen. Es gibt ein Prothesengeschäft in der Stadt. Die Miete für ein Paar Holzkrücken beträgt wöchentlich zwei Franken fünfzig; Metallkrücken kosten fast das Doppelte. Ein Zinkleimverband wird die Haut schonen. Nicht jeder kann mit Krücken umgehen, Treppen steigen, beispielsweise, oder auch nur einen Teppich überqueren.

Von Tillmann will Kerr nicht reden. Man weiß, wer Tillmann ist: ein Streber. An schulfreien Nachmittagen sitzt er im Biologiezimmer und liest. Er darf die Bücher nicht heimnehmen; aber er hat einen Schlüssel erhalten. Er betritt den Korridor; es ist alles beim alten geblieben: am Eingang sind immer noch die in Stein gehauenen Affenfratzen zu sehen und der bücherlesende Uhu. Ein neues Präparat steht im Biologiezimmer, ein zwei Monate altes Pferdeembryo mit weißer Mähne, mit weißem Schwanz, mit durchsichtigen Hufen.

Kerr verschweigt etwas. Hat er nicht das Recht dazu? Vielleicht ist er bloß schlechter Laune?

Schose fragt ihn: Wie ist es nun mit dem Rad? Hat sich Tillmann bei Wolf gemeldet?

Jawohl, er hat das Rad geholt. Er fährt damit zur Schule. Er pflegt es gut. Er schließt es ab, wenn er es irgendwo stehen läßt. Mit dem Rad ist alles in Ordnung, darauf kann sich Schose verlassen. Wer schützt schon bei Regenwetter den Sattel mit seinem Taschentuch? Tillmann tut es.

Auch Wolf kann sich nicht beklagen. Tillmann hat ihm das Rad zweimal vorgeführt. Der Dynamo ist Ende November ersetzt worden; seither hat Wolf Tillmann nicht mehr gesehen. Er hat zu tun. Die Soirée ist auf Samstag angesetzt, die Vereinsmitglieder sind mit dem Datum nicht einverstanden.

Warum vor Weihnachten? sagen sie. Das ist eine ungünstige Zeit. Man hat zuviel Arbeit. Nach Neujahr wäre es besser gewesen.

Man kann es ihnen nie recht machen, sagt Wolf. Aber später sind sie dann doch immer zufrieden. Sie kommen zur Generalversammlung, die Behördenmitglieder halten eine Ansprache, und alles ist im Blei. Einige hätten einen Filmabend vorgezogen. Es gibt gute Filme, die man in den öffentlichen Kinos selten sieht. Im nächsten Jahr wird man sich mit der Frage befassen. Man wird sich nicht auf den Titel einigen können; der Verein hat 476 Mitglieder, alle sind stimmberechtigt, auch die Frauen. Die Vorschläge des Vorstandes werden diskutiert. Wohin käme man, wenn jedes Mitglied eigene Vorschläge machen würde?

Die Tombola wird jeden zufriedenstellen. Es sind große Preise darunter; sie werden streng geheimgehalten. Die Leute kaufen ihre Lose einzeln oder in Zehnerserien; eine Serie bringt zwei sichere Treffer. Kann man mehr verlangen?

Die Leute werden noch lange von der Soirée reden. Man hat sich im Vorstand entschieden, auf der Bühne einen Weihnachtsbaum zu errichten: auch das soll eine Überraschung sein. Man hat erstmals die Mitglieder des Motorradvereins persönlich eingeladen. Vielleicht schließen sich die beiden Vereine zusammen?

Wolf wird sich mit dem Glücksrad Mühe geben. Der Conférencier heißt Münger und hat einen guten Namen. Jeder hat ihn schon im Radio gehört. Die Vereinsmitglieder

werden mit ihm zufrieden sein. Er wird die wichtigsten Preise nennen, den Schinken zeigen und die Butter unter dem Glas.
Was ist mit Wolf los?
Er hat ein neues Hobby, das ist es. Er plant eine Geschäftserweiterung. Nur Fahrräder, damit kommt man nicht durch. Nach dem Krieg wird es wieder Benzin und Öl geben. Man wird breitere Straßen bauen. Wolf hat sich ein Motorrad gekauft, eines mit nur einem Nocken. Mein Ein-Nöckeler, sagt er.
Im Winter fährt er nicht; die Straßen sind zu gefährlich, gefroren manchmal. Wolf will mit der Polizei nichts zu tun haben.
Wo haben Sie den Treibstoff bezogen, Herr Wolf? Zeigen Sie uns Ihre Karte.
Wolf läßt sich nicht erwischen. Im Winter stellt er das Motorrad im Keller auf Rollen und fährt an Ort. Ein solcher Kursus ist jedem Fahrer zu empfehlen. Endlich lernt er die Gänge schalten, wie es sich gehört. Es ist eine Schande, wie die meisten Fahrer ihre Motorräder behandeln.
Sie sind ahnungslos, sagt Wolf.
Man gibt ihnen den Töff in die Hände, nur weil sie den Preis bezahlt haben. Das werde ich nicht zulassen. Der Käufer hat sich auf einer Probefahrt auszuweisen, verstehst du? Wenn er sie nicht besteht, hopp, in den Keller mit ihm, Trockenübung auf den Rollen, jeden Abend um acht.
So wird Wolf die Burschen nehmen. Vielleicht denkt er auch daran, einen Diplomkurs durchzuführen.
Ein Motorradfahrer muß anständig gekleidet sein. Er hat die Schnürstiefel bei Ludwig zu bestellen; Wolf legt Wert darauf. Lederzeug und Stiefel, eine Mütze mit Ohrenklappen und den Augenschutz. Ohne Augenschutz geht

es nicht. Er muß groß sein, er muß das ganze Gesicht bedecken. Der Motorradsport ist nichts für junge Herrchen.
Nach Neujahr bringt Wolf Prospekte mit; sie sind schwarzweiß und farbig gedruckt. Die Soirée wurde ein voller Erfolg, die Tombola hat Anklang gefunden; auch im neuen Jahr, 1944, soll ein Theaterstück aufgeführt werden, das hat man jetzt schon beschlossen.
Und Tillmann? Wolf hat ihn nicht wiedergesehen. Wo wird er schon sein, der Junge!
Kerr kann man nicht fragen, Kerr ist ins Winterlager der Pfadfinder gezogen, an eine Samariterübung mit Hunden, Ski und Lawinenstangen. Es ist ungewiß, ob nach den Ferien die Schule weitergeführt wird; es gibt keine Kohle. Die Bise treibt Schnee durch die Straßen; an Mauervorsprüngen und Randsteinen türmen sich schmutzige Schneehaufen.
Ein strenger Winter, sagen die alten Leute. Genau wie anno 1926. Der See wird zufrieren, ihr werdet es sehen.
Die Tage sind immer noch neblig. Wenn es nicht schneit, sind die Nächte klar. Der Oleander in den Gärten der Marktgasse hat schwarzgeschrumpfte Blätter. Die Gärten sind verwaist. Eine Thujahecke ist niedergelegt worden. Im April werden die Stadtgeometer Vorschläge für eine Straßenverbreiterung machen.
In diesem Januar werden die Straßen mit Salz bestreut; tagsüber schmilzt der Schnee. Die alten Leute trippeln mit der Einkaufstasche herum; sie fürchten das Glatteis. Die Schneeräumer tun ihr Möglichstes. Schose hört sie morgens um fünf mit den Pflügen vorüberfahren. Die Stadt hat zu wenig Arbeiter; nicht alle Gassen können freigemacht werden. Vor den ersten Leichentransport am Morgen wird ein Schneepflug gespannt.
Schose hört die Trommeln und Trompeten. Den Musikanten folgen die Trauerleute. Sie gehen in der Straßenmitte.

Da sind die Häuser der Außenquartiere. Die Gartenmauern brechen am Bahndamm ab, die Geleise verzweigen sich in einer weit geöffneten Kurve, und die Güterwagen auf der Brücke versinken im Nebel und im Rauch.
Die alten Leute schieben die Gardinen zur Seite und sehen dem Zug nach. Sie reiben sich die Hände. Die Kälte hält sie wach. Die alten Leute nicken vor sich hin. Am Zeigefinger hat sich wieder die seltsame Geschwulst gebildet, ein hartes Knötchen; es schmerzt nicht, es läßt sich unter der Haut bewegen. Wo haben sie bloß ihre Brille hingelegt. Sie ist unter der Zeitung; da ist sie auch nicht.
Anno 1926 war es so, sagen die alten Leute. Es geschieht nichts Neues unter der Sonne. Alles wiederholt sich. Die Jungen hören doch nicht auf uns. Sie wollen ihre Erfahrungen selber machen.
Die alten Leute blicken dem Leichenzug nach. Rudolf Ledermann ist gestorben; sie haben es in der Zeitung gelesen. Er war in Sumiswald heimatberechtigt. Vielleicht ist er erst in der Krisenzeit nach Biel gekommen? Er ist im Altersheim gestorben. Der Verstorbene ist ein Achtundsechziger, haben sie gelesen; ein früher Achtundsechziger vom Februar.
Sie sind späte Neunundsechziger, frühe Vierundsiebziger, Zweiundachtziger, Fünfundsechziger. Auf der Kommode haben sie Fotografien aufgestellt, Bilder, auf denen sich einer der Beteiligten umwendet, während die andern weitergehen, und er überrascht nun den Betrachter mit einem schönen Lächeln; wie heißt er nur, wie weit liegt die Zeit zurück, wann ist er gestorben? Lächelt er wirklich, oder ist das schlecht entwickelte Bild an dieser Stelle besonders schadhaft? Die Brille muß her!
Auf der Rückseite der Fotografie steht von Hand geschrieben: dem Andenken unseres unvergeßlichen.

Madame hat den Verstorbenen, Schoses Großvater, nur flüchtig gekannt.
Sie kauft in einer Papeterie eine Kondolenzkarte. Monique wird Worte des Trostes finden. Monique schreibt in Schoses Zimmer ihr Tagebuch. Sie wird nicht mehr ins Internat zurückkehren. Es gefällt ihr zu Hause. Dolores ist ihre Freundin geworden. Sie berät sie beim Kauf der Lippenstifte. Mädchen haben ihre Geheimnisse. Monique erzählt vom Internat. Es heißt Sacré Cœur; es ist an einem See gelegen, aber hinter Mauern versteckt. Die Briefpost wird vor dem Mittagessen verteilt; die Briefe sind geöffnet. Manchmal wird ein Mädchen zur Oberin befohlen.
Zum Verhör, sagen die Mädchen.
Im Februar beginnen die Exerzitien. Man redet nur französisch. Man weiß, es sind Plaketten im Umlauf, sie sehen aus wie Münzen mit einer eingestanzten Nummer. Wenn eine Plaketteninhaberin hört, daß ein Mädchen nicht französisch spricht, darf sie ihm ihre Münze zustecken. Jeden Samstag werden die neuen Inhaberinnen ermittelt. Sie bezahlen eine Geldbuße.
Dolores möchte wissen, was die Mädchen lernen. Nun, sie lernen Sprachen, ein wenig Krankenpflege, Maschinenschreiben, Stenographie und Lebenskunde und, das ist sehr wichtig: gutes Benehmen.
Schose hat Mühe, die Mädchen zu verstehen. Mit Monique kommt er gut aus. Sie ist die ältere Schwester. Sie ist der Meinung, an der Beerdigung müsse man teilnehmen. Madame wird eine Gärtnerei beauftragen, Blumen zu schikken. Monique hätte sich gerne in der Kirche gezeigt. Dunkle Kleider stehen ihr gut. Im Internat werden nur dunkle Kleider getragen. Monique ist hübsch. Madame hat ihr eine goldene Halskette geschenkt. Schade, daß es in den

Geschäften keinen Samt zu kaufen gibt; Monique hätte in einem Samtrock an der Beerdigung teilgenommen. Sie versteht es, sich durchzusetzen. Sie weiß, was sie will, sie kann sich behaupten. Sie ist verschwiegen; wer kann sich auf einen Menschen, der so viele Geheimnisse hat, verlassen? Ein solcher Mensch verbirgt seine Absichten.

Aber Monique ist auch hilfsbereit. Sie hat die Krücken gemietet. Pfui, welch ein Durcheinander in dem Prothesengeschäft.

Ein alte Frau gibt Rollstühle aus, fahrbare Toiletten und Gegenstände, die Monique noch nie gesehen hat. Sie kann sie nicht beschreiben, weil sie nicht weiß, wie sie zu gebrauchen sind. Holz, Gummi, Nickel.

Schönes Fräulein, sagt die Frau, wie nett, daß Sie vorbeikommen. Der arme Kranke ist auf Ihre Hilfe angewiesen. Ist er vielleicht Ihr Verlobter? Überlegen Sie es sich gut, ehe Sie sich an einen Krüppel binden. Die Liebe ist rasch vorbei; übrig bleibt die tägliche Hilflosigkeit. Wenn wir wieder Frieden haben, kommen die jungen Männer von der Grenze zurück; seien Sie bloß nicht voreilig, lassen Sie sich Zeit mit Ihrer Wahl. Denken Sie auch an Ihre Eltern! Was sagt Ihr Vater, wenn er einen untüchtigen Schwiegersohn hat? Wie wird Ihre Mutter Sie bedauern! Vielleicht ist sie eine stille Frau. Eine schüchterne Mutter wagt nicht, ihrer Tochter die Augen zu öffnen. Überlegen Sie sich Ihren Schritt, Fräulein. Denken Sie nicht, ich sei eine herzlose Frau. In meinem Geschäft sehe ich viel Schicksal.

Die Frau trägt selbst eine Prothese. Dolores kennt sie. Schon wieder flüstern die Mädchen miteinander. Dolores kennt die ganze Stadt. Wie sie das nur anstellt? Und dabei ist Dolly bei den Kunden beliebter. Die Männer kaufen bei ihr Rauchzeug, schwarz. Sie fragen nach ihr, wenn sie einmal nicht im Geschäft ist. Sie wollen sich von Dolly be-

dienen lassen. Sogar Reubell bleibt stehen, wenn Dolly ihn im Vorbeigehen grüßt.
Wie kalt es ist, Fräulein Dolly.
Januarkälte, Herr Reubell. Werden die Tage länger, ist der Winter strenger.
Reubell nickt Dolly zu. Das hat auch meine Mutter gesagt.
Wohin geht Dolly? Sie hat an der Bahnhofstraße eine Besorgung zu machen. Herr Reubell hat in derselben Gegend zu tun. Er begleitet sie. Er erkundigt sich nach Schose. Dolly weiß nicht viel zu berichten. Schose geht zu Hause schon ohne Krücken. Das gebrochene Bein ist so komisch anzusehen. Schose hat angefangen, mit Messer und Rasierpinsel zu hantieren; er arbeitet an seinen Schulheften; er liest ein Schachlehrbuch des Weltmeisters, wie heißt er doch, ein Russe ist es.
Das kann Reubell bestätigen; den Namen hat er auf der Zunge. Nur nicht zu sehr nachdenken, plötzlich kommt er einem in den Sinn.
Schose schreibt seine Träume für Dolores auf. Die Pflegerin ist nicht mehr im Haus, auch das weiß Reubell. Sie hat sich zu einer tuberkulosekranken Dame versetzen lassen, irgendwo ins Villenquartier.
Reubell will Schose am Nachmittag besuchen. Er verabschiedet sich am Zentralplatz von Fräulein Dolly.
Roth, so heißt der russische Schachweltmeister, Gideon Roth. Ja, das ist sein Name. Dolly hat sein Bild auf der ersten Seite des Buches gesehen; einen runden Kopf, grob geschnitten und brillenlos, mit einem Béret basque.
Reubell bringt Schose ein Geschenk mit, einen Metallvogel aus Blech mit zwei Motoren. Sechzehn Runden dreht er an der japanischen Fischerleine; Reubell hat sie gezählt.
Er hat eine Werkstatt im Keller eingerichtet. Die Wand-

borde sind vollgestopft mit Chemikalien, mit Eisen, Kalk oder Schwefelblende. Er sucht nach einem neuartigen Treibstoff. Schose wird schon sehen, wenn er ihn einmal besuchen kann. Auch die Metalle sind zu prüfen. Reubell hat die seit dem Krieg verlassenen Autofriedhöfe entdeckt. Dort liegen noch immer ein paar verrostete Wagen im Gebüsch; der Baum im Kessel ist vom Rost vergiftet.

Am Rande der Abfallhalde im Osten wohnen Leute in Wellblechhütten. Reubell wirft mit Steinen nach ihren Hunden; die Ratten stören ihn nicht bei der Arbeit. Immer brennt ein Feuer, da, wo die Halden in einem Wassergraben auslaufen; auf der andern Seite liegen die Schreberkolonien mit ihren grünen Holzhäuschen.

Das hat Schose nicht erwartet. Er weiß nicht, was nicht zu Reubell paßt. Alles ändert sich zu rasch. Was soll man dazu sagen?

Wir sind Freunde; gut, daß ich dich kenne; Dank für das Geschenk.

Der Blechvogel wird ans Fensterkreuz gehängt; die Pflegerin hat ihre Schwalbe mitgenommen.

Reubell erkundigt sich nach dem Doktor. Der Doktor ist mit Schose zufrieden.

Im ganzen machen wir Fortschritte, sagt er zu Madame. Es wird ein früher Frühling werden, dieses Jahr. Der Junge soll sich draußen tummeln; er kann schon nächsten Montag wieder in die Schule gehen. Mittwoch ist schulfrei; er soll sich um drei Uhr in meiner Praxis melden.

Schose trägt Zettel mit Adressen in der Tasche herum, hat hier oder dort eine Verabredung; auch das ist neu. Schose steht vor dem Spiegel. Er rasiert sich mit einer Stangenseife. Madame hat zu Rasiercreme geraten; er hat abgelehnt. Sie hat ihm Klingen gekauft, Gillette; der beste Stahl der Welt. Eine Klinge wird fünfmal verwendet,

dann muß sie nachgeschliffen werden. Es gibt auch Dauerklingen, aber die sind nichts wert. Schose beeilt sich. Er hätte Licht machen sollen; das Einseifen geht gut; aber mit der Klinge hat er Mühe. Er fährt sich übers Kinn; er vermeidet es, sich im Spiegel anzuschauen. Er müßte sich die Haare schneiden lassen; das sagt auch Dolores, dazu braucht er den Spiegel nicht. Er hat keine Pusteln; es gibt nichts zu entdecken in seinem Gesicht.
Plötzlich steht Madame unter der Tür. Sie trägt Schuhe mit spitzen Absätzen; auf der Treppe und im Salon hätte Schose sie hören müssen.
Warum bist du so erschrocken? Warum machst du kein Licht? Sie sucht im Schrank nach einer Schaufensterpuppe. Sie hat es eilig; sie vergißt, die Tür zu schließen.
Schose ordnet sein Rasierzeug. Die Klinge ist zu waschen, der Pinsel muß ausgeschwenkt werden, das nasse Tuch wird über den Heizkörper gehängt.
Schose mag die Unordnung im Badezimmer nicht. Die Mädchen lassen alles liegen: Töpfe, Kämme, Dosen, Flaschen, Puderquasten. Monique vor allem; sie kann keine Ordnung halten. Madame hat ihr drei Ledertaschen geschenkt; sie sind nie da. Monique verwendet immer den Kamm, den sie gerade findet. Ihre Nagelfeile liegt in Schoses Zimmer auf dem Tisch. Heute abend wird sie wieder nach ihr suchen, und Dolly wird sie finden.
Dolly findet alles.
Dolly sagt man, hast du nicht vielleicht meinen Kriminalroman gesehen? Gestern habe ich angefangen mit Lesen, ich habe ihn ganz bestimmt auf dem Tisch liegen gelassen und jetzt ist er verschwunden. Bestimmt hat ihn jemand weggenommen.
Nach einer Weile kommt Dolly mit dem Kriminalroman zurück. Wie macht sie das bloß?

Nun, ich kenne euch doch, sagt Dolly. Ich weiß, wo ihr euer Zeug hinlegt. Wenn man jemanden kennt, findet man für ihn, was er sucht. Nur Monique ist eine Ausnahme; sie läßt alles liegen; sie kümmert sich um nichts. Sie ist unberechenbar.

Schose hat sich rasiert. Gut, daß Madame Licht gemacht hat. Der Spiegel hat ein paar Schaumspritzer abbekommen. Schose wischt sie weg. Es bleiben Schlieren zurück; Spiegel sind schwer zu reinigen. Er tränkt einen Wattebausch im Wasser und versucht, das Glas mit Watte abzureiben. Auf einem Spiegel sieht man die kleinsten Flekken. Manche Salonbesitzer hauchen das Glas an. Sie haben Lederstücke zurechtgeschnitten, weiche Poliertücher. Andere nehmen Zeitungspapier.

Sie sagen: Ein Spiegel wird nur mit Zeitungspapier wirklich sauber. Er bekommt einen schönen Glanz. Ein Spiegel ist nicht neutral. Man muß ihn pflegen. Man kann das Glas nachdunkeln oder aufhellen. Man muß den Sachen ein wenig nachhelfen.

Die Salonbesitzer tauschen Erfahrungen aus. Madame ist überall gern gesehen; vor vier Jahren ist sie Präsidentin des Verbandes gewesen. Später hat sie sich zurückgezogen, einer Polizeigeschichte wegen. Ein Prozeß ist angestrengt worden, Schose weiß nicht mehr, wie er ausgegangen ist. Wer wird ihn gewonnen haben? Nach vier Jahren ist das nicht mehr wichtig. Der Prozeß hat dem Salon nicht geschadet.

Die Herren erheben sich, wenn Madame das Sitzungszimmer betritt. Sie ist eine tüchtige Geschäftsfrau. Sie schweigt, wenn von der Krise gesprochen wird. Sie hat eine Krise überlebt. Es geht ihr gut. Sie hat das Geschäft ausgebaut, den Boden neu gelegt, die Fassade auf der Seite der Kanalgasse frisch gestrichen. Wo ist ihr Prozeßgegner? Wo ist

der Sieger von damals? Vielleicht haben ihn seine Freunde vor vier Jahren beglückwünscht? Madame hat ihn überlebt.
Die Versicherung hat Schose einen Brief geschrieben. Sie wird achtzig Prozent der Kosten übernehmen.
Madame hat den Schadenfall fristgerecht angemeldet, schreibt die Versicherung. Ein Taggeld kann sie leider nicht übernehmen; auch für die Pflegerin muß die Familie Ledermann selbst aufkommen; ein Verdienstausfall ist nicht nachgewiesen.
Madame denkt an alles. Es gibt zu viele Risiken; nicht alle können eingerechnet werden. Unfall, Krankheit, Tod; man weiß Bescheid. Wenn man früh genug einen Vertrag abschließt, ist die Prämie mäßig. Die Versicherung spricht von einem gewissen Selbstverschulden: sie sei gesetzlich zu einer Abfindung von nur sechsundsechzig Prozent verpflichtet. Vielleicht wird Wolf nicht auf einer sofortigen Bezahlung bestehen.
Schose tritt im März dem Juniorenklub bei, ja, das wird er wohl tun.
Er denkt an Tillmann. Tillmann wird Versicherungsinspektor. Keine schlechte Idee. Versicherungsanstalten gibt es auf der ganzen Welt. Sie verstehen es, ihr Geld richtig anzulegen.
Schose löscht das Licht im Badezimmer. Er muß noch die letzten Zeichnungen machen, einen Röntgenapparat, für die Physikstunde. Der Lehrer hat den Apparat nach einem Handbuch der «Cosmos»-Reihe gebaut.
Wie sauber Sie arbeiten, Herr Kerr, sagt Monique. Im Institut hatten wir nicht so saubere Hefte.
Kerr ist stolz auf das Lob.
Am Montag kommt Schose wieder zur Schule; da wird er ihm die Hefte nicht mehr bringen müssen. Am Montag wird die Sache mit Tillmann herauskommen.

Mit Tillmann stimmt etwas nicht, sagt er zu Schose. Er hat dein Rad nicht mehr. Vielleicht ist es gestohlen worden, vielleicht hat er es verkauft. Er könnte es zu Hause lassen, habe ich gedacht, bei dem Wetter. Aber im Keller ist es auch nicht.

Kerr verabschiedet sich. Schose wird die Hefte früh genug abgeben; die Physikstunde ist erst am Dienstag; man hat den Stundenplan beibehalten.

Das Schulhaus liegt auf halber Höhe am Südhang, es ist ein mächtiges, ockergelb gestrichenes Gebäude mit drei Pausenplätzen. Die gekiesten Wege sind von Tuffsteinmauern und dürftigen Sträuchern eingefaßt. Es ist ein Schulhaus des frühen Jahres 1944, mit Zugluft in den Korridoren; die Zimmer sind nicht gut geheizt. Noch immer ballt der Deutschlehrer die Hand: Onkel Sam und der blonde Albion, dem lieben Gott vom Karren gefallen.

Im Frühling blüht Alyssum in den Rabatten; die Stadtgärtner schieben hochrädrige Karren herum, sie säen Rasen an. Im Herbst ist der Hof von Unkraut überwachsen, an den Gitterstäben wuchern Efeu und Hopfen, die Randsteinquader versinken im Brennesseldickicht, und über den Sandhügeln des kaum begonnenen Neubaus wölben sich die Kronen der Kastanienbäume. An windigen Tagen prasseln die unreifen Früchte aufs Dach; der Westwind trägt die Sturmsignale über den See.

Es ist Februar. Wer denkt im Februar an den kommenden Herbst? Der Hauswart vielleicht; er flucht im Herbst, wenn er zweimal in der Woche die Blätter zusammenrecht.

Im Herbst habe ich am meisten Arbeit, sagt er zu den Lehrern. Und auf den Aborten: welche Schweinerei herrscht da wieder. Es muß Remedur geschaffen werden. Habt ihr die Überschwemmung gesehen? Ganze Papierrollen werfen die Kerle ins Clo!

Die Lehrerschaft sollte den Hauswart in seinen Bemühungen unterstützen. Man kann die Schüler erziehen. In der Pause haben sie nichts im Hause verloren. Man kann sie dazu bringen, die Schuhe abzustreifen, bevor sie das Haus betreten. Turnschuhe mit schwarzen Gummisohlen sollten verboten werden. Sie hinterlassen auf dem Kriegslinoleum von Giubiasco häßliche Spuren; nicht einmal mit der Blochmaschine sind sie wegzubringen.
Im Herbst regnet es lange; wieviel Schmutz da in die Schule getragen wird. Der Hauswart freut sich im Herbst auf den Winter.
Nur: jetzt sieht es wieder anders aus. Man hat diese Kälte nicht erwartet, eine Kälte wie anno 1926. Hin und wieder schneit es während der Nacht. Der Schnee haftet nicht, die Bise treibt ihn in Wirbeln über den Hof. Gegen die Kälte kommt keiner an. Die Einkaufszentrale hat dem Hauswart zu wenig Kohle geliefert. Er hat sogleich Beschwerde eingelegt; man hat nicht darauf geantwortet. Die Schüler sammeln Holz und Tannenzapfen. Sie haben es auch mit Papierbriketts versucht, sie haben Zeitungen in Wasser aufgelöst, die Masse geballt und an der Luft getrocknet; welch ein Mist.
Der Hauswart ist Raucher. Man sieht ihn in Überhosen und im Rollkragenpullover den Platz überqueren. Er ist ein großer, schwerer Mann, aber klein auf dem Platz unten und immer von einer Rauchfahne eingehüllt. Die Zigarrenstummel läßt er in den Korridoren liegen; auf den Simsen der Schulzimmer sind sie zu finden, in den Schwammbecken, unter den Tischen. Die Schulkommission hat ihm deswegen einen Verweis erteilt; daran trägt er schwer. Er ist ein wortkarger Mensch, er leidet an seinem ungestillten Jähzorn. Er nimmt keinen Anteil mehr an den Geschäften der Schule. Er sucht seine Freude anderswo. Einen Verweis

läßt er sich nicht noch einmal bieten. Macht er vielleicht seine Sache nicht recht? Hat nicht seine Frau unentgeltlich geholfen, die Keller für Luftschutzübungen herzurichten? Wäre er etwa verpflichtet gewesen, im Hobelraum für die Unterkunft der sechsundzwanzigsten Seeländerkompanie zu sorgen? Aber davon wissen die Behörden nichts. Es kümmert sie nicht, was einer leistet. Sie haben für den einfachen Arbeiter nur Kritik übrig, Kritik und Verachtung.

Putzen kann jeder, denken sie. Man gibt dem Mann das Material, den Reisbesen, die Schmierseife, und die Sache ist erledigt.

Der Hauswart gibt keine Auskunft, wenn die Kollegen ihn nach seiner Arbeit fragen. Er gilt bei ihnen als Pilzkenner. Sie begleiten ihn gerne, wenn er sie mitnehmen will; er kennt die Morchelplätze, er kennt den Tintenröhrling, er zeigt ihnen, wie die Totentrompete zu trocknen ist. Was kümmert ihn die Schule! Die Kälte ärgert ihn, das ist wahr. Der Boden sollte bis Mitte März vom Regen gesättigt sein. Ende März müßten an Südlagen braune Champignons wachsen. Dies Jahr wird alles Verspätung haben.

Der Hauswart steht unter dem Hauptportal. Es ist elf Uhr; die Schüler drängen sich an ihm vorbei. Er wartet darauf abzuschließen. Wenn nur die Lehrer nicht zu lange im Hause bleiben. Manchmal trinken sie nach Schulschluß noch einen Kaffee. Die neue Zeichenlehrerin hat einen elektrischen Teekocher mitgebracht; in der kleinen Büchse neben dem Bücherregal wird Geld für Kaffee-Ersatz gespart. Die Sitzungen ziehen sich oft in die Länge, besonders vor Konferenzen oder vor größeren Zensurarbeiten. Früher besaß die Lehrerschaft eigene Schlüssel zu den Schulhäusern. Mit dieser Unsitte hat der Verein der Schulhauswarte aber aufgeräumt.

Wo kommt man hin, wenn jeder das Schulhaus betritt, wie

es ihm gerade paßt! Ein Schulhaus untersteht der öffentlichen Ordnung, es hat offizielle Öffnungszeiten und eine Hausordnung. Viele Lehrer verwechseln das Schulhaus mit ihrer Privatwohnung. Oft kommen sie nach acht Uhr abends noch einmal herauf, um ihre Hefte zu holen.
Der Hauswart ist immer da, denken sie. Es ist seine Aufgabe, das Haus zu bewachen, dafür wird er bezahlt.
Sie denken nicht an die Verantwortung. Sie lassen das Licht in den Zimmern brennen; sie vergessen, den Gashahn abzudrehen; die Fenster bleiben offen.
Der Hauswart trägt die Verantwortung. Die Vereine sind auch noch da: die Gesangvereine belegen zweimal in der Woche die Aula; die Turnvereine haben vier Abende. Ohne Hauswart geht es nicht. Nachts um elf macht er seinen letzten Kontrollgang; er tut seine Pflicht, Verweis hin oder her. Seine Pflicht, aber mehr nicht. Er mischt sich nicht in Dinge, die ihn nichts angehen. Wozu soll er den Sachen auf den Grund gehen? Was kümmert es ihn! Er nimmt sie, wie sie sind, basta. Jeder spielt seine Komödie; jeder macht sich wichtig. Das ist sein gutes Recht. Auch die Pilze tarnen sich.
Der Hof ist leer. Die Schüler haben Eile; die Kälte treibt sie nach Hause. Viele tragen Uniform; Pfadfinder, Leute aus dem Vorunterricht. Man kann sie brauchen. Sie arbeiten in Samaritervereinen; manchmal werden sie zu Manöverübungen beigezogen. Die Zivilisten können im Ernstfall über ihre Hilfe froh sein.
Ein Pfadfinder ist im Hof zurückgeblieben. Er hat seine Schulmappe auf die Mauer gestellt. Seine Uniform ist neu; er trägt sie noch nicht lange.
Der Hauswart zündet sich hinter vorgehaltener Hand eine Zigarre an, Rößlistumpen. Rößli zieht, heißt der Slogan. Die Zigarre brennt leicht. Man zündet sie vorsichtig an,

erwärmt sie langsam; die ersten Züge schmecken am besten.
Auf der Treppe gegenüber erscheint ein Junge; er geht vorsichtig; er hinkt; er stützt sich aufs Geländer. Er ist unten angelangt, fährt sich übers Gesicht, öffnet das kleine Eisentor zum Hauptplatz. Der Flügel schwingt auf. Wie hell der Platz ist! Drüben hat sich der Pfadfinder an die Mauer gelehnt; er ruft dem Jungen etwas zu. Sie gehen aufeinander zu, Halberwachsene, die Wichtiges zu besprechen haben.
Das kennt der Hauswart; er hat einen Sohn im selben Alter; ohne Nachhilfestunden in Mathematik kommt keiner durch. Oft reden sie auch von den Mädchen in ihrer Klasse, manchmal von der Religion.
Nun erkennt er den Pfadfinder, Tillmann, den Klassenkameraden seines Sohns und auch den andern, das Hinkebein, den Bordellsohn, Schose Ledermann.
Eine Stunde später steht der Hauswirt in seiner Küche, er kratzt sich im Haar und wundert sich, wie schlecht sich das, was geschehen ist, in Worte fassen läßt. Er stottert, er hat nicht richtig aufgepaßt, er hat sich kein Bild gemacht und sieht doch alles vor sich. Er möchte mit Armen und Händen zeigen, was geschehen ist, während die beiden Polizisten, und, vor der offenen Tür, die Lehrer aufschreiben, was er mitzuteilen hat:
Also, sagt er, es ist alles zu schnell gegangen. Plötzlich liegt der eine, dieser Tillmann, am Boden, und der andere wischt sein Messer am Hemd ab. Von dem Toten, meine ich. Vielleicht hat er sich noch bewegt; so rasch kann ja ein Mensch nicht sterben, an einem einzigen Stich.
Mit dem Bericht des Hauswarts ist nicht viel anzufangen. Noch um vier Uhr ist die Polizei im Haus; in den Klassenzimmern brennen schon die Lichter. Im Hof hat man Sägemehl gestreut.

Tillmann hat Schoses Rad einem Italiener verkauft; soviel ist in Erfahrung zu bringen. Die Fotografen haben inzwischen ihre Aufnahmen gemacht. Sie verstehen sich auf ihr Handwerk; sie täuschen sich nicht in der Belichtung. Das Licht entscheidet über die Brauchbarkeit einer Aufnahme. Im Säurebad kann man dies und jenes retten; aber nur eine richtig belichtete Fotografie läßt sich nach Belieben vergrößern. Die Angehörigen legen Wert auf ein gutes Bild, zur Erinnerung.

# 3

Auch hier in der Schwer-Erziehbaren-Anstalt Brandmoos gibt es Gärten. Sie sind, von Zäunen umhegt, in schmale Beete aufgeteilt, sauber gejätet, verloren in den Feldern, in den Hofstätten, in den Heuwiesen, in den Gerstenäckern, in den bewaldeten Hügeln.

Rosen wachsen in Reih und Glied, Zinnien, Sommerastern. Wenn die Kartoffelernte beginnt, blühen die gelben Margeriten. Die Rüben werden eingebracht, die Bauern führen Emd, holen am frühen Morgen das letzte Gras; die Gärten tragen jetzt violette und gelbe Farben.

Das Land ist fruchtbar; die weitläufigen Gehöfte liegen in Mulden, bilden da und dort Weiler, ein kleines Dorf, ein großes Dorf mit Kirche, Friedhof und Wirtschaften. Vor der Kirche steht eine Sonnenuhr; der Dorflehrer hat im Vademekum den passenden Spruch gefunden: Vita fugit sicut umbra.

Hier auch die Brücke mit zwei Geleisen und einer Fahrbahn, das Schwemmland, die Flußkrümmung, an deren äußerem Ufer sich im Frühlung und Spätherbst eine Bank aus Abfall und Treibholz bildet, und, auf halber Höhe in den Hügel gebaut, die Anstalt für Schwererziehbare: drei Blöcke, ein halbfertiger Neubau, die Mauer und der Schatten der Mauer.

Kein Mensch in dieser Gegend trägt Halbschuhe. So etwas Leichtfertiges wäre niemandem anzuraten. Auch wenn die Wege bei schönem Wetter staubig und fest sind, verwandeln sie sich nach einem kurzen Platzregen zu einem Sumpfstreifen.

Wie oft bleiben die Anstaltswagen stecken, und eine Hilfsgruppe muß ausrücken, um sie wieder flottzumachen. Die

Erde haftet an den Sohlen. Wenn man sie eintrocknen läßt, wird sie zur harten Kruste, die mit einer Bürste nicht zu lösen ist. Am besten, man geht in Schaftschuhen. Schaftschuhe kann man am Brunnentrog waschen. Nach dem Waschen reibt man sie mit schwarzem Fett ein. Zugegeben: ein Sonnentag genügt, und die Wege sind wieder trocken. Die Karrenräder haben sich tief eingegraben. Erst der nächste Regen wird die Spuren glätten.
Aber auch an Sonnentagen empfiehlt es sich, Schaftschuhe zu tragen. Wer ungeschickt ist, kann sich in einer tiefen Karrenspur den Fuß verstauchen. So etwas kommt vor; Schaftschuhe schützen das Fußgelenk. Man geht langsamer in ihnen, man tritt schwerer auf; sie formen den Gang; sie sind nicht schön, aber sie fehlen einem, wenn man sich einmal an sie gewöhnt hat.
Ist es das, was Schose seinem Freund Reubell schreiben will? Die Anstaltsleitung liest die Briefe, wie man weiß. Briefe dürfen nicht zugeklebt werden; man gibt sie offen und unfrankiert im Büro ab.
Manchmal gelingt es, einen Brief ins Dorf zu schmuggeln und am Bahnhof aufzugeben; aber das sind Ausnahmen. Es ist auch nicht wichtig: man hat nichts Wichtiges zu schreiben. Die Anstaltsleitung sieht es gerne, wenn man Briefe schreibt. Sie stellt einem das Papier des Vereins Christlicher Junger Männer zur Verfügung, blaue, linierte Bogen.
Man kann auch Träume aufschreiben, eine Geschichte erfinden, Lügen erzählen, wenn man Ausdauer hat. Schose weiß Bescheid; seit März 1944 ist er in der Anstalt; er schreibt nicht gerne Briefe. Er hat wenig geschrieben seit seiner Einlieferung im vergangenen März, einen Brief an Monique, einen Brief an Wolf, einen Brief an Kerr; drei Briefe in acht Monaten.

Er hat in dieser Zeit mehrere Pakete erhalten. Die Anstaltsleitung läßt den Zögling sein Paket auspacken. Eßwaren werden verteilt. Alles andere wird im Büro aufbewahrt oder dem Zögling ausgehändigt. Er hat im Gemeinschaftsraum einen Kasten zur Verfügung; den Schlüssel dazu trägt er an einer Schnur am Hals. Es gibt keine bessere Methode, den Schlüssel aufzubewahren. Man ist froh zu wissen, daß die persönlichen Effekten im Schrank sicher verwahrt sind. Natürlich muß Ordnung gehalten werden. Die Direktion sorgt dafür, daß jede Woche eine Schrankkontrolle stattfindet. Eßwaren beispielsweise haben in einem Schrank nichts zu suchen.
Das weiß der Zögling. Er hat die ihm zugeteilte Eßration sofort zu verbrauchen. Der Schrank dient als Aufbewahrungsort für persönliche Kleidungsstücke. Wie schön ist es, einen Pullover zu besitzen. Die meisten Kleider werden nach Vorschrift getragen: Schaftschuhe mit hölzernen Sohlen werktags, mit ledernen Sohlen sonntags. Nach der Dusche ist Wäschewechsel. Die wollenen Unterkleider, Leibchen und Hose, sind mit blauem Pausstift gezeichnet. Die Hemden tragen eine Nummer. Vor der Wäscheverteilung werden die Türen geschlossen. Durchs Treppenfenster fällt wenig Licht.
Es ist sieben Uhr morgens, Sonntag. Die Abteilung drei verläßt den Duschraum. Die andern warten in Reih und Glied im Korridor, Hose und Unterhose in der rechten, Hemd, Strümpfe und Überzeug in der linken Hand.
Die Kolonne rückt langsam vor. Der Verwalter sitzt in seinem Sessel; er singt. Er liebt es, leise vor sich hin zu summen. Manchmal raucht er eine Zigarre, immer dieselbe Marke. Beim Wäschewechsel wird nicht gesprochen. Küchenmädchen bringen Körbe mit Hemden. Sie lachen vor der Tür. Dann wird es still; sie haben das Haus betreten.

Nicht immer sind es die Mädchen, die mit der Wäsche zu tun haben. Oft organisiert Schaltenbrand den Wechsel, und die Zöglinge bringen und holen die Körbe selbst. Die Mädchen haben anderes zu tun; das Essen muß gerichtet werden, Früchte sind einzukochen.
Nur der Verwalter hat Zeit. Er liebt es, den Wäschewechsel zu beobachten. Er verlangt Ordnung und Disziplin. Man nimmt die Kleider, die man bekommt. Das Tauschen ist nicht gestattet. Wenn der Verwalter dabei ist, geht alles viel besser. Keine Tricks werden versucht. Er muß nicht eingreifen. Er sitzt in seinem Stuhl, die Beine weit von sich gestreckt und summt. Er hat eine schöne Stimme. Nach der Wäscheverteilung setzt er sich ans Klavier.
Die Zöglinge lernen jede Woche ein Lied auswendig. Sie singen am liebsten Lieder mit wenigen und kurzen Strophen, Lieder mit einem Refrain. Die einzelnen Abteilungen, Familien genannt, sagen die langen Strophen im Chor auf, dann singen sie die Melodie. Der Verwalter begleitet sie auf dem Klavier. Auf dem Deckel brennt die Zigarre; das Mundstück ist dunkel. Der Verwalter nimmt die Binde nie weg. Er ist ein leidenschaftlicher Raucher. Als Verwalter kann er sich allerhand erlauben; er ist nicht bloß Hauswart. Auf seinen Kontrollgängen raucht er auch an Werktagen. Seine Frau macht ihm Vorwürfe, wird behauptet. Er hat gelbe Zähne; er hat verfleckte Kleider; er riecht übel bei Tisch nach kaltem Rauch. Der Geruch setzt sich in seinem Haar fest, obwohl er es kurz geschoren trägt, beinahe so kurz wie die Zöglinge.
Der Haarschneider weiß, was er zu tun hat. Er arbeitet mit einem Apparat; selten hilft er mit der Schere nach. Er setzt den Zögling rittlings auf einen Stuhl; die Arme sind auf der Stuhllehne verschränkt. Ein Tuch wird über den Kopf gestülpt, ein Papierkragen umgelegt; der Haarschnei-

der kann seine Arbeit beginnen. Er schneidet vom Nacken zur Stirn in breiten Strichen. Pro Mann benötigt er ein paar Minuten.

Der vierte Sonntag des Monats ist Besuchstag; am Donnerstag erscheint der Haarschneider. Er hat schmale Augen; man könnte glauben, er verrichte seine Arbeit blind.

Hopp, sagt er. Der nächste.

Er hat keine Zeit zu verlieren. Der Aufseher Schaltenbrand will rasiert werden; der Stallmeister läßt sich den Nacken ausputzen; der Verwalter kommt zur Abrechnung.

Besuchssonntag, lieber Reubell! Worüber soll ich schreiben?

In der Reihe neben Schose steht der Junge mit der flachen Nase, Negus; die Familien sind ausgangsbereit. Die Standuhr in der Halle rasselt, von der Kirche schlägt es neun. Zeit zum Kirchgang.

So wachet nun, denn ihr wisset nicht, wann der Herr des Hauses kommt, ob er kommt, auf daß er nicht komme: Wachet!

Worte, mit denen der Pfarrer leise und schnell die Kanzel besteigt. Schon brennt die Leselampe über der Bibel. Schwere Worte; einschläfernde Worte.

Über ihnen leuchten die bunten Kirchenfenster. Wie sanft der Pfarrer spricht! Man stützt den Kopf in die Hände, man spürt, wie sich der Schlüssel am Hals bewegt. Die Leute husten. Es ist kalt. Es hat lange geregnet, zu lange für einen November. Die Leute sind krank, nichts Ernsthaftes; ein bißchen Fieber, eine kleine Erkältung; nicht der Rede wert.

Gut, daß man die Lieder gelernt hat. Der gemischte Chor ist froh über die Unterstützung.

Nach der Predigt wird Schmelings Grab besucht; der Chor hat seine Unterstützung zugesagt. Das Grab ist mit Tannenzweigen und Astern geschmückt. Ulrich Siegenthaler,

1928 bis 1944. Am Kreuz lehnt eine Tafel: Frisch gestrichen! Nicht berühren.
Man hat die Bretter weggenommen; überall schwere, rote Erde. Man sieht sich vor; die Schuhe, die Kleider!
Alles ist geordnet. Es gibt keine Überraschungen. Man weiß, was man zu tun hat; man erfüllt ein Amt, man fühlt sich an seinen Platz gestellt.
Es ist Mittag. Eine Katze geht über den Friedhof; in der Kirche übt der Organist ein neues Lied. Die Gruppen werden getrennt in die Anstalt zurückgeführt. Zwei Aufseher begleiten sie. Ueli, Schmeling genannt, hatte zur Familie Schaltenbrand gehört.
Wie oft hat man die Frage gestellt: Woran ist der Junge gestorben? Niemand kann eine Antwort geben.
Der Verwalter wird sich um alles kümmern; er ist der Aufsichtsbehörde gegenüber verantwortlich. Sein Bericht über den Todesfall wird aufmerksam gelesen; er ist in zweifacher Ausfertigung verfaßt. Er wird in Bern zu den Akten genommen.
Man hat sich als Zögling um nichts zu kümmern. Die tägliche Pflicht muß getan werden; ist das nicht genug? Manchmal stellt man eine Frage; das ist unvermeidlich. Manchmal findet man jemanden, der einem antwortet; die Regel ist es nicht.
Wo Antworten fehlen, gehen Gerüchte um. Kleine Zettel, engbeschrieben, wandern von Zimmer zu Zimmer; man weiß nicht, wer sie schreibt, man weiß nicht, wer sie vernichtet. Es ist auch nicht sicher, daß die Anstaltsleitung den Spitznamen Uelis, Schmeling, kennt. Schmeling hat in Bern einen Boxkurs besucht. Es gibt von ihm ein Bild, das er gerne gezeigt hat, ein Foto, im Boxklub aufgenommen. Kein Zweifel: Schmeling stellt im Ring seinen Mann. Sein Gegner auf dem Bild ist ein dunkelhaariger Boxer. Ein

Italiener, sagt man; einer aus der italienischen Staffel von Mailand, Halbschwergewicht.
Jeder Zögling hat einen Spitznamen: Schmeling, Mondi, Negus, Wide.
Manche haben sogar zwei oder noch mehr, Schoses Freund beispielsweise, Benninger, Be. Sie nennen ihn auch Vulkan oder den Spinner. Er ist im Juni mit Schmeling geflohen; Schmeling hat sich beim Sprung über die Mauer das Genick gebrochen.
Vulkan spinnt, sagen sie; der Feuerspeier, der Spinner. Er hört nicht gut. Er hört nicht, wenn jemand die Tür mit einem Schlüssel aufschließt. Er schleicht durch die Halle, er spürt den Luftzug nicht, er merkt nicht, daß ihn jemand hinter der halbgeöffneten Tür beobachtet: so einer wagt den Fluchtversuch!
Be steht neben dem Spielfeld, wenn sie mit dem Ball rennen. Bei schönem Wetter wird vor dem Abendessen Völkerball gespielt; das ist eine Verordnung. Der Verwalter sorgt dafür, daß sie eingehalten wird. Oft kommt er selbst; Schaltenbrand ist immer dabei.
Der Hof ist mit grobem Kies bestreut, und schon bevor das Spiel richtig beginnt, ist das Feld in eine Staubwolke gehüllt. Die Spieler finden sich immer zurecht, selbst in der Dämmerung, und wenn sie aus dem Dunkel in die Familienunterkunft kommen, haben sie seltsam wache Augen.
Be hat ihnen oft zugeschaut. Er ist von den Spielen dispensiert, genau wie Schose. Seine Hände sind noch immer verbunden; die Schnittwunden verheilen schlecht. Was ist mit Be geschehen?
Schose weiß es. Er ist seit acht Monaten interniert. Er kennt die Hausordnung, er weiß, wie man sich zu verhalten hat. Ein Zögling ist von der Außenwelt abgeschnitten. Was hinter der Mauer vorgeht, ist ein Geheimnis. Viel-

leicht umfaßt die Anstalt noch andere Höfe für andere Gefangene; schon oft ist davon gesprochen worden. Man hat es satt, an Geheimnissen herumzurätseln.
Man beschäftigt sich eine Weile mit den Mitgefangenen. Man kennt ihre Geschichten. Man hat zu viel davon gehört; sie werden immer wieder erzählt, immer anders. So kann es gewesen sein; so ist es gegangen; das ist die reine Wahrheit; ich bin Augenzeuge. Man nimmt die Sachen, wie man sie haben möchte.
Man beschäftigt sich auch mit seiner eigenen Geschichte. Man hat einen Spitznamen erhalten, gleich nach der Einlieferung: Wide, Negus, Schmeling, Be. Nach der Einlieferung: das ist die härteste Zeit. Der Neue kennt die festgelegte Hausordnung nicht gut genug! Die ungeschriebenen Gesetze kann er nicht ahnen. Wenn er den ersten Monat hinter sich hat, kennt man ihn; man findet seinen Spitznamen. Schose heißt Schnorrer. Seine Mutter besitzt ein Bordell in Biel. Schnorrer hat eine Geschichte; er hat Tillmann, seinen Klassenkameraden, erstochen. Die Anstaltsleitung versucht, ihn zum Reden zu bringen; der Versuch mißlingt. Man weiß, daß Tillmann Schnorrers Rad an einen Italiener verkauft hat. Schnorrer gibt keine Auskunft. Die Anstaltsleitung hat ihn zehn Tage lang in die Einzelzelle gelegt, drei davon in Dunkelhaft, wenn man Wide trauen darf. An einem Samstag im April ist er herausgekommen; immer dasselbe Lied, wenn einer bekennen soll.
Die Zöglinge werden nach Familien in der Eingangshalle des Schlaftraktes versammelt. Die Halle ist groß. Schwarzweiße Fliesen decken den Boden. Die eine Fliese steht auf der Spitze der andern. Der Boden ist alt; er senkt sich gegen die Treppe hin. An der Schwelle ist mit roten Steinen eine Jahrzahl eingelegt. Es ist ein Marmorboden, er ist nicht poliert; ein Boden aus geschliffenem Marmor, ein

Schachbrettboden. Die Zöglinge haben Zeit, ihn zu betrachten. Man läßt sie warten. Sie haben das Warten gelernt. Sie senken den Kopf. Sie spüren den Luftzug am linken Ohr. Sie wissen: Schlafsaal zwei ist offen, Schaltenbrand macht Kontrolle. Vielleicht erwischt er einen Bettnässer, der sich nicht freiwillig gemeldet hat. Sie warten. Die Standuhr an der Wand tickt. Vor ihnen sitzt in seinem Ledersessel, die Beine weit ausgestreckt, der Verwalter. Er trägt Stiefel. Er kommt vom Feld, er hat eine Besprechung im Pferdestall gehabt, die Kuh Vroni soll nächstens kalben. Der Tierarzt rechnet mit Zwillingen, Kuhkälbern, wie er hofft.

Ein Anstaltsleiter hat viel Arbeit. Der Landwirtschaftsbetrieb muß organisiert werden. Die Strafanstalt ist Selbstversorgerin. Darauf ist man stolz; es ist eine Verpflichtung, rentabel zu arbeiten. Wie leicht entsteht ein Verlust. Eine falsche Disposition, eine Unterlassung, eine mangelhafte Führung, ein verschobener Termin, und Hunderte von Franken sind verloren. Der Anstaltsleiter ist überlastet. Er müßte endlich eine Hilfskraft bekommen. Wie lange hat er keine Ferien gehabt! Er ist müde. Die Zigarre schmeckt ihm nicht. Vor ihm, zwischen der Tür und den drei Reihen der nach Familien geordneten Zöglingen steht der Neue mit dem unbrauchbaren Namen, José Claude Ledermann. Die Akten sind eingegangen, Fräulein Kämpf hat sie bereitgelegt; Polizeibericht, Aussagen eines Hauswarts, Angaben der Lehrerschaft; die Bestätigung des Rektorats, daß der Schüler Ledermann mit sofortiger Wirkung des Gymnasiums Biel verwiesen worden ist.

Was noch fehlt, ist die Selbstbezichtigung. Die Arbeitstherapie ist wirksamer, wenn an ihrem Anfang ein freiwilliges Schuldbekenntnis steht. Die Erziehungsdirektion legt gerade auf ein Schuldbekenntnis größten Wert.

Erst das Eingeständnis der Schuld ermöglicht die Reue; das ist ihre Meinung. Die Arbeit in der freien Natur wird dem zerknirschten Schuldigen helfen, in seinem Innern Ordnung zu schaffen; sie ist die Grundlage für eine spätere Wiedereingliederung in die Gesellschaft, sagt auch der Untersuchungsrichter.

So jedenfalls wird es in den Zuchthäusern gehalten; sollte es in den Jugendstrafanstalten oder in den Heimen für Schwererziehbare anders sein? Die Insassen werden den einzelnen Häusern nach Alter zugeteilt. Hier im Brandmoos bleiben sie bis zum achtzehnten Lebensjahr; dann werden sie entlassen oder in eine andere Anstalt eingewiesen.

Das Brandmoss bereitet der Erziehungsdirektion Schwierigkeiten. Die Jugendlichen sind nicht einsichtig. Sie zeigen weniger Reue als Zuchthäusler. Oft kommt es vor, daß sie Widerstand leisten. Welche Kräfte in einem Jungen stekken! Später wird es anders. Der Kopf ist stärker als das Herz. Der ältere Strafgefangene gibt rascher nach. Er hat schwache Stellen. Man findet Ansatzpunkte, einen Zugang. Die Anstaltsleiter wissen Bescheid.

Verwandtschaftliche Beziehungen zwischen Anstaltsleitern erleichtern manche Aufgaben. Man hat weniger Schreibereien. Dies und jenes kann unter der Hand und ohne Einmischung der Behörden erledigt werden. Es bleiben immer noch genug Sorgen. Der Anstaltsleiter im Brandmoos glaubt nicht mehr an den Wert von Bekenntnissen. Manchmal ertrotzt er sie; selten genug. Er ist müde. Er kommt mit seinen Zöglingen nicht schlecht aus. Wozu soll er sie quälen? Sie sind ehrlicher als die meisten Gefangenen in den Zuchthäusern. Sie sind jünger und ehrlicher. Sie glauben, daß das, was sie tun, einen Sinn hat. Sie widerrufen nicht. Soll er ihnen den Glauben nehmen? Viele von ihnen kom-

men nach der Entlassung wieder mit dem Gesetz in Konflikt. Dann sind sie achtzehn Jahre alt, neunzehn vielleicht.
Soll er sich in eine Anstalt für Erwachsene versetzen lassen, um sie dort von neuem in Empfang zu nehmen? Nein, er wird hierbleiben. Es gefällt ihm im Brandmoos; manchmal gefällt ihm sogar seine Arbeit. Sie ist nicht immer sinnlos. Es gibt Leute, die ihren Weg gefunden haben. Die Vorstandsmitglieder und Aufsichtsbehörden kümmern sich nicht darum. Sie besuchen das Haus an Festtagen und halten eine Rede. Sie besichtigen die Ställe, die Felder, die Unterkunftsräume.
Wie sauber alles ist, sagen sie. Ein richtiger Musterbetrieb.
Für solche Besuche wird vorgesorgt. Der Staat liefert Inselwein; die Bäckerlehrlinge backen Käsekuchen; der Verwalter setzt sich für eine halbe Stunde zu den Gästen und sagt ein paar Worte. Dann läßt er die andern reden. Ihre Gespräche gelten der Zukunft. Die Zukunft begeistert sie. Sie zweifeln nicht daran, daß die Welt durch eine so musterhaft geführte Anstalt entscheidend verbessert wird. Sie gehen im Haus herum, dann fahren sie wieder weg.
Sie haben nie Gelegenheit, die Eltern der Zöglinge an einem Besuchssonntag zu sehen. Wer die Eltern zu sehen bekommt, hat mehr Verständnis für die Zöglinge. Darüber denkt er manchmal nach. Er schläft schlecht, obwohl er müde ist. Er geht nicht zum Arzt; der Arzt würde ihm raten, das Rauchen aufzugeben. Wenn er in der Nacht erwacht, setzt er sich in den Stuhl. Seine Frau merkt seine Unruhe nicht. Vielleicht ist doch sein Rücken nicht in Ordnung? Er sitzt im Finstern in seinem Stuhl; manchmal schläft er im Stuhl ein.
Hin und wieder besuchen ihn Ehemalige.
Sie sagen: Ihr habt immer noch die Mauer.

Man weiß, daß er gegen die Mauer ist. Wie oft hat er verlangt, die Mauer müsse niedergerissen werden.
Die Zöglinge arbeiten tagsüber auf den Feldern, hat er geschrieben. Sie sind im Kornhaus beschäftigt; sie führen Heu ein, kochen für die Schweine, wenden Mist, putzen Kartoffeln, und so weiter. Fluchtversuche auf dem offenen Feld sind selten. Wenn sie aber eingesperrt werden, kommen sie auf den Gedanken zu fliehen. Die Mauer bringt sie auf schlechte Gedanken! Und er hat gleich einen Fall zu melden: Benninger und Siegenthaler.
Der Flüchtling Benninger hat sich verletzt, schreibt er. Ärztliche Hilfe ist dringend nötig. Es ist ungewiß, ob die Hände gerettet werden können. Der Flüchtling hat sich die Hände an den Glasscherben aufgerissen. Was Siegenthaler betrifft, so ist leider zu melden, daß.
Der Anstaltsleiter redet langsam. Er diktiert seine Briefe. Fräulein Kämpf tippt sie gleich in die Maschine. Sie macht zwei Durchschläge. Ohne Fräulein Kämpf wäre der Anstaltsleiter verloren. Sie bringt die Verwaltungsgeschäfte in Ordnung. Aber damit ist es noch nicht getan. Man hat ein Privatleben. Fräulein Kämpf kennt die Launen ihres Arbeitgebers. Sie kennt seine Sorgen. Oft schreibt sie Briefe an die Soldaten seiner Kompanie. Ein Hauptmann weiß, wie viele Schreibereien dieser Posten mit sich bringt. Er weiß, wie man sich auf die Beförderung zum Major freut. Der Anstaltsleiter hat die Beförderung nicht erhalten. Seit vier Jahren wartet er. Fräulein Kämpf läßt sich nichts anmerken, wenn die Aufgebote verschickt werden.
Sie sagt: Ihre Soldaten mögen Sie. Erinnern Sie sich, daß sie Ihnen im vergangenen Jahr eine Kiste Zigarren geschenkt haben?
Im vergangenen Jahr ist die Sache mit dem Seil passiert. Er hat sich als erster abgeseilt, dafür hat man ihn an höch-

ster Stelle gelobt. Auf dem Tagesbefehl stand: Abseilübungen.
Es ist nicht die Schuld des Hauptmanns, wenn ihm kein geschultes Personal zur Verfügung steht. Überall fehlen Spezialisten. Der Hauptmann hat eine Rückgratverletzung davongetragen; er ist für zwei Jahre vom Dienst beurlaubt worden. Hin und wieder erhält er einen Brief von seiner Kompanie.
Wann kommen Sie wieder zurück? fragen die Soldaten. Sie fehlen uns hier.
Nein, er ist kein Routinemensch. Er liebt es, Befehle zu geben. Er verlangt Gehorsam. Er ist gerecht. Er verficht die Gerechtigkeit. Die Zöglinge haben an ihm einen strengen und gerechten Hausvater. Er hat viele Verordnungen und die ganze Hausordnung von seinem Vorgänger übernommen. Die Praxis bestätigt die alten Regeln. Sein Nachfolger wird es auch so halten. Es gibt wenig zu ändern. Wozu andere Ordnungen schaffen, wenn sich die übernommenen bewährt haben?
Es kommt vor, daß sich neue Situationen ergeben. Der Anstaltsleiter fürchtet die Notwendigkeit, Anordnungen zu treffen, die sich nicht auf Erfahrungen stützen. Er ist langsam in seinen Entschlüssen. Wie rasch ist das mühsam gewahrte Gleichgewicht zwischen Vorgesetzten und Untergebenen gestört. Der Vorsteher betrachtet die Gesichter der Zöglinge.
Sie stehen nach Familien geordnet in der Halle. Er liebt es, sie in der Halle zu versammeln. Sein Vorgänger hat es nicht anders gehalten.
So hat man früher Häuser gebaut: brauchbare, großzügige Räume, breite Treppen, von Hand behauene Fliesen, sorgfältig ineinander gefügt. Freilich, die Mauern haben sich in der langen Zeit gesenkt; die Fenster schließen nicht mehr

richtig; an den Türstürzen löst sich der Verputz; Risse sind entstanden, überall sieht man neue Spalten im Mauerwerk. Von Zeit zu Zeit werden sie mit einer Gipsplombe versehen und datiert. Dem Haus droht keine Gefahr. Es wird nicht zusammenbrechen; es wird das Jahrhundert überstehen; es wird ihn und seinen Nachfolger überleben. Es ist im achtzehnten Jahrhundert erbaut worden. Die Jahreszahl ist mit rotem Stein in den Fliesenboden eingelegt; ein altes Haus, gewiß.

Mit der Putzerei hat man es in alten Häusern schwer. Die Zöglinge müssen scharf beaufsichtigt werden. Zweimal täglich wird Staub gewischt, täglich wird der Fliesenboden geschrubbt; aber gegen den Schmutz kommt man nicht an. Der Staub löst sich von der Decke, er quillt unter dem schadhaften Linoleum hervor. In Ritzen und Fugen hat es allerlei Ungeziefer, in den Blindböden rennen die Mäuse.

Jede Woche wird eine neue Putzgruppe bestimmt. Es ist Schaltenbrands Aufgabe, die Geschäfte in Haus und Hof zu überwachen. Er macht seine Sache recht. Es ist ihm gelungen, sich Autorität zu verschaffen. Wenn er später die Stelle aufgibt, wird ihm der Anstaltsleiter ein gutes Zeugnis ausstellen. Der Obgenannte hat es verstanden, seine Zöglinge bestens anzuleiten. Er ist ihnen mit dem guten Beispiel vorangegangen. Wo es gilt, Hand anzulegen, ist er der erste. Er scheute vor keinem persönlichen Opfer zurück, wird man schreiben.

Weshalb hassen die Zöglinge Schaltenbrand? Ist es, weil er seinerzeit eine Jugendstrafe im Brandmoos verbüßt hat?

Er schlägt sie manchmal, das hat sich sogar im Dorf herumgesprochen. Hassen sie ihn deswegen?

Jeder Aufseher verliert hin und wieder die Geduld. Oft sind die Zöglinge selbst daran schuld. Sie versuchen, sich durchzusetzen. Man muß ihnen Grenzen zeigen, man darf

sich seine Autorität nicht untergraben lassen, Hausordnung hin oder her.
Der Anstaltsleiter deckt Schaltenbrand. Es ist schwierig, gute Aufseher zu bekommen. Mit Weichlingen ist einem Anstaltsleiter nicht gedient.
Die Zöglinge versuchen immer wieder, ihre Aufseher kleinzukriegen. Das würden sie sich mit dem Anstaltsleiter nicht erlauben. Er hat es leichter als jene. Er muß Geduld mit ihnen haben und ihren Schwächen Verständnis entgegenbringen. Schaltenbrand ist ein Schläger, heißt es im Dorf. Die Bauern wollen ihn beobachtet haben, wie er die Jungen auf dem Feld prügelt. Was wissen die Bauern von der Erziehungsarbeit. Sie spionieren herum und versuchen, die Jungen in Gespräche zu verwickeln. Auf den Sonntagsspaziergängen laden sie sie in ihre Häuser ein, obwohl es verboten ist.
Sie sagen: Ich meine es gut mit dir. Komm nur herein. Ich bringe dich nachher mit dem Zweispänner in die Anstalt zurück. Ich muß ohnehin noch fahren. Da, greif zu, Zopf, selbst gebacken. Das bekommt ihr da unten wohl nie? Ein so hübscher Bursche, sagt die Bäuerin. Schau die Striemen auf seinen Armen. Sicher werden sie in der Anstalt geschlagen, nicht wahr?
Um fünf Uhr bringen sie den Ausreißer vors Tor. Es ist ihm schlecht geworden, sagen sie. Er hat Fieber. Er hat sich erbrochen. Wir haben gedacht, es ist das beste, wenn wir ihn hereinnehmen.
Man hat sich höflich bei den Bauern zu bedanken. Sie lieben es, sich eine Zigarre anbieten zu lassen und einen Augenblick stehenzubleiben.
Das Wetter, sagen sie. Es hat zu lange geregnet. Wird wohl nicht viel Obst geben, dies Jahr. Nasse Sophie und Pankratius bringen dem Landmann viel Verdruß.

Wer will es den Aufsehern nachtragen, daß sie ihren Beruf wechseln? Sie können Gärtner werden, eine Pacht übernehmen, die Wirtschaftsschule absolvieren. Mit einem guten Zeugnis stehen ihnen viele Berufe offen.
Neue Kräfte müssen gesucht und eingearbeitet werden. Ein Aufseher bleibt selten länger als drei Jahre in der Anstalt, obwohl er einen guten Lohn und ein eigenes Zimmer hat; sogar die Wäsche wird ihm gratis gestellt und gewaschen. Schaltenbrand ist eine wirkliche Ausnahme; es lohnt sich, ihm manches nachzusehen; er ist seit sechs Jahren Aufseher im Brandmoos.
Es ist für jeden schwer, nicht Partei zu nehmen. Neutral zu sein gilt als eine Tugend. Der Anstaltsleiter ist nicht unparteiisch, Schaltenbrand ist es auch nicht; niemand ist es. Man schwankt lange, wenn es gilt, sich zu entscheiden. Man erwägt, man prüft, man versucht, Hintergründe aufzudecken, man möchte hinter die Kulissen sehen; eine spontane Entscheidung darf nicht als endgültig angesehen werden. Neue Aufgaben können gestellt werden; neue Beweise sind zu liefern, neue Zeugen zu ermitteln. Es kommen neue Vorgesetzte, neue Untergebene: man ist nie fertig.
Du hast deinen Schulkameraden Fritz Tillmann mit einem Messer umgebracht. Warum?
Der Verwalter saugt an seiner erloschenen Zigarre.
Du hast das Messer in der Schulmappe mitgetragen; du hast den Mord geplant. Ein Stich ins Herz. Vorsätzlicher, kaltblütiger Mord. Ich will dir die Umstände schildern.
Der Verwalter redet. Die Zöglinge stehen, nach Familien geordnet, vor ihm in der Halle. Sie halten die Köpfe gesenkt. Sie dösen vor sich hin. Sie denken an eine geglückte Flucht. Die Fensterbank der Familienunterkunft ist schmal; eine schmale Sandsteinbank. Man muß versuchen,

sich beim Absprung aufzurichten, dann, während man springt, die Arme nach vorn zu werfen und mit den Händen die Mauerkrone zu erreichen. Sie ist mit Scherben und Stacheldraht bestückt. Man wird sich verletzen.
Die Zöglinge schrecken auf. Schaltenbrands Stimme holt sie zurück: Stramm halten, Kerle! Eine Schweinerei, wie ihr dasteht! Bedankt euch bei eurem neuen Kameraden! Er läßt euch warten.
Schose steht zwischen ihnen und dem Verwalter. Er trägt ein kragenloses Hemd. Sie hassen ihn. Er ist schuld an dem verlorenen Nachmittag. Vor dem Abendessen werden sie ihn hinters Haus schleifen.
Werden sie das tun?
Schaltenbrand ärgert sich, das sieht man. Der Neue verdirbt ihm seinen freien Tag. Sicher wäre Schaltenbrand gern ins Dorf gegangen; vielleicht zu Mädchen. Schose schweigt. Das ist sein Recht. Man kann sich auf ihn verlassen. Möglicherweise ist es ihm gelungen, ein Buch in die Anstalt einzuschmuggeln; man wird versuchen, einen Tauschhandel zu machen.
Ein Neuer weiß nicht, worauf es ankommt. Er gibt Dinge weg, die hier einen unschätzbaren Wert haben: einen Spiegel, eine Schere. Man muß sich früh genug um den Neuen kümmern; man muß den andern zuvorkommen. Sie werden Schose nicht hinters Haus schleifen.
Hin und wieder denkt Schnorrer an die ersten Wochen in der Anstalt zurück, an die Zeit nach der Einlieferung, an die harte Zeit.
Dolores hat ihn einmal besucht, zusammen mit Reubell. Sie hat ihm Schokolade gebracht und eine Rolle Sparablanc. Besuchssonntag ist nur einmal im Monat. Die Zöglinge dürfen mit ihren Besuchern spazierengehen.
Pfadfinder haben die Bewachung übernommen. Die Ro-

ver bestimmen ihren Standort in den Hügeln, im Ried, auf den Speicherterrassen und auf der Brücke. Am Waldrand liegt das Hauptquartier. Die Pfadfinder ziehen schon am Morgen aus, in Uniform und mit ihren Wappentieren in den Wimpeln. Sie haben es gern, wenn ein steifer Wind weht. Ihre Fahnen flattern in einem steifen Wind. Das Wetter ist schön und kühl, so, wie es Pfadfinder lieben. Sie haben Ferngläser bekommen, aus Armeebeständen.

Sie verständigen sich durch Armzeichen; sie morsen mit kleinen Spiegeln. Sie unterhalten eine eigene Nachrichtengruppe.

Jahre später werden sie im Militärdienst zu Funkern ausgebildet.

Um siebzehn Uhr verlassen sie die Hügel in geschlossener Formation. Der Wolf, der nie schläft.

Die Zöglinge der Anstalt versammeln sich um siebzehn Uhr in der Halle zum Appell. Vierunddreißig Mann sind anwesend, keiner fehlt.

Die Flucht, Reubell, ist nur ein Traum. Der Traum der Gefangenen. Man glaubt nicht an Träume.

Ich habe dir Schokolade mitgebracht.

Ich habe dir eine Rolle Sparablanc mitgebracht.

Was ist mit dir los? Was zeichnest du in den Sand? Du zeichnest Figuren mit dem rechten Fuß, Achter, Kreise und eine Frau mit großen Brüsten. Du bist kein Kind mehr. Du hast zu rauchen angefangen, im Stall, heimlich. Du zündest die Zigaretten mit gestohlenen Zündhölzern an; sie liegen unter der Notlaterne im Schafstall. Woher beschaffst du dir Zigaretten? Dein Freund Be weiß, wo man sie kauft, nicht wahr? Dort steht er; er hat die Sonne im Rücken. Könnte man, wäre es November, hinter den Häusern, im Herbstlaub verborgen, die Mauer sehen? Ohne Unterlaß fallen dann die Blätter aus den Zweigen. Unter den treibenden Blättern im Entenweiher wechselt das Wasser die Farbe. Mit seinem geheimnisvollen Duft sättigt sich die Luft.

Wie spät ist es?

Um 16 Uhr 40 fährt der letzte Zug. Man hört, wenn man zum Appell antritt, den Zug auf der Brücke, zwei, nein drei Wagen. Grenadiere haben die Geleise über einen Notsteg gelegt.

Wenn man einmal die erste Zeit hinter sich gebracht hat, kennt man die Geräusche. Man richtet sich nach den geltenden Vorschriften.

April des Jahres 1944, die harte Zeit.

Die Stimme des Verwalters: In der Lateinstunde hast du dir vorgenommen: heute tue ich es! Du hast das Messer als erster gezogen. Weshalb hast du Tillmann umgebracht?

Schose wird einem langen Verhör unterzogen. Die Fragen, die er beantworten soll, sind Leuchtraketen, sind so, wie man sich Leuchtraketen vorstellt. Man hat sie im Kino gesehen, auf Abbildungen in illustrierten Zeitschriften. Schaltenbrands Schläge treffen einen andern. Ein anderer wird eingesperrt, ein anderer leidet Hunger. Nie ist man selbst der Getroffene. Die langen Nachmittage in der Zelle nehmen zu und schwinden, ohne eine Spur im Weiß des Bettes, des Schrankes, des Tisches zurückzulassen. Es ist April, es regnet jede Nacht. Das Bett aus Eisen, der Stuhl, der Tisch sind am Boden festgeschraubt. Die Stäbe im Fenster, der zerbrechliche Längsstab und die drei gedrungenen Querstäbe werfen ihren Schatten in das Zimmer.

Was ist zu bekennen? Was ist zuzugeben? Wofür ist Abbitte zu leisten?

Fragen, auf die es keine Antwort gibt.

Nach und nach findet man zu sich; man beobachtet am

Fenster verwirrt einen von zwei Pferden gezogenen Karren, dessen Räder sich rückwärts zu drehen scheinen.
Man empfängt zum erstenmal Besuch.
Guten Tag, Dolores.
Dolores weint. Es ist ein Tag, wie ihn die Pfadfinder lieben: kühl und schön.
Guten Tag, Schose. Ich habe dir eine Tafel Schokolade mitgebracht und eine Rolle Sparablanc.
Schose hat diesen und jenen Jungen kennengelernt. Er nennt Namen, Spitznamen. Die Zöglinge tun, was man ihnen befiehlt. Sie handeln nicht selbst. Unter dem Druck der Befehle bilden sich die stärksten Freundschaften. Sie sind zu Ende, wenn der Druck wegfällt. Man hat gemeinsame Erlebnisse; man hat eine eigene Geschichte. Vielleicht ist eine Freundschaft später ein Teil der eigenen Geschichte.
Hast du keine Jacke mitgenommen, Schose?
Ich friere nicht.
Wie lange hast du frei?
Bis um fünf.
Der eine Torflügel ist offen. Neben dem Tor steht ein Kastanienbaum. Er ist im April mit Blüten bedeckt, ein alter Baum. Am fernen Hügel sieht man den Wind durchs Gras gehen; wie hoch das Gras schon steht. Ein fruchtbares Land, gewiß; weite Felder. Welche Mühe, die Höfe instand zu halten.
Nur zu Hause ist alles beim alten geblieben, sagt Dolores. In den Gärten blühen jetzt Narzissen. Wir holen Salat unter dem Glas hervor und setzen ihn ins Freie. An der Marktgasse, unserem Haus gegenüber, hat der halbzerfallene Neubau den Besitzer gewechselt: ein Kino soll gebaut werden.
Dolores schwatzt zuviel.
Sie sagt: Der Krieg kann nicht ewig dauern. Nach dem

Krieg wird eine Wirtschaftskrise kommen. War es 1918 nicht auch so?
Die Stadt hat Geld bereitgestellt; ein Straßenbauprogramm liegt vor; die Stadt ist wachsam; sie gründet ihre Vorsorge auf die Erfahrungen des letzten Weltkrieges.
Ein Kino, das ist keine schlechte Idee. Die Arbeitslosen brauchen Ablenkung. Sie können nicht den ganzen Tag auf der Straße bleiben. Ein Kino ist besser als das Wirtshaus. Am Morgen schlafen die Arbeitslosen. Vor dem Mittagessen lassen sie ihre Ausweise im Kontrollbüro abstempeln. Der Nachmittag ist lang. Die Arbeitslosen reden vom Militärdienst. Jeder kann etwas erzählen.
Alle Männer sind Schwätzer, glaub mir das, Schose, ich muß es wissen. Nach dem Krieg werden die Frauen tüchtig sein. Sie haben in den vergangenen Jahren ihre Tüchtigkeit entdeckt.
Ich werde nach dem Krieg in eine andere Stadt ziehen, nach Zürich vielleicht. In Zürich kommt man rascher vorwärts. Es ist eine große Stadt. In Zürich hat man bessere Aussichten, vorwärtszukommen.
Dolores weint nicht mehr. Sie fährt Schose über den Kopf.
Ich habe dir Schokolade mitgebracht, sagt sie, und da, eine Rolle Sparablanc. Wenn du an den Händen Blasen bekommst, deck sie mit Sparablanc ab, hörst du? Du wirst froh sein darüber, bei dieser Arbeit.
Aber auch Reubell hat etwas mitgebracht. Es ist in Packpapier eingeschlagen und mit dünnem Bindfaden verschnürt. Schose öffnet das Paket: Es ist sein Messer.
Die französischen Soldaten verwenden solche Messer an der Front; in der Schweiz dürfen sie nicht getragen werden. Es ist Krieg; man kann nie wissen, ob dus nicht doch wieder nötig hast, sagt Reubell.

Man wird nach dem Krieg die Gesetze ändern; alles wird nicht mehr so streng sein. Ein Messer, pah! Wer soll dir deswegen Vorwürfe machen, nach dem Krieg.
Das Messer hat einen Griff aus geriffeltem Stahl. Nicht einmal Be weiß, wie es zu stellen ist. In einem Brief kann man das nicht schreiben.
Vielleicht wüßte Reubell gerne, ob das Messer noch da ist? Es ist im Schafstall versteckt, Reubell!
Nur Be kennt das Versteck. Auf Be kann man sich verlassen. Seine Mutter schreibt ihm jede Woche einen Brief. Sie ist in der Frauenstrafanstalt interniert. Auch dort liegt das Papier der Christlichen Jungen Männer auf. Sie schreibt, wie es sein wird, nachher. Am 1. November ist sie entlassen worden.
Ich werde dich besuchen, hat sie geschrieben. Mein Zug trifft im Brandmoos um 10 Uhr 35 ein. Du wirst mich in der Anstalt erwarten. Wie ich mich freue! Der vierte Novembersonntag ist in meinem Kalender rot angestrichen. Wir werden schönes Wetter haben, die Sonne scheint.
Be hat nicht gesagt, weshalb seine Mutter eine Strafe absitzt. Weiß er es eigentlich?
Be steht am Tor unter dem Kastanienbaum; er ist zum Mittagessen nicht hereingekommen. Es ist bald fünf Uhr, Appellzeit. Be schaut zu, wie sich die Angehörigen verabschieden. Manche weinen. Andere reden schon vom Dezemberbesuch. Nach dem Abschied laufen die Zöglinge an ihre Schränke. Sie ziehen sich rasch um. Nachher setzen sie sich auf die Bank vor dem Haus. Sie sind müde. Sie fühlen sich wohl in der neuen Werktagshose.
Be hat seine Hände nicht mehr im Verband. Er lehnt sich an den Baum; die Hände hinterm Rücken schmerzen. Die Rinde des Baumes ist hart und schartig.

Be hat seiner Mutter nichts von dieser Sache geschrieben. Einen Unfall nennt er seinen Fluchtversuch.
Nach dem Unfall hat man von Amputation gesprochen; so maßlos wird hier übertrieben. Wenn die Leute Blut sehen, reden sie gleich von Amputation.
Er ist lebensgefährlich verletzt, sagen sie. Eine Pulsschlagader ist aufgerissen. Und die rostigen Stacheldrähte! Es wird eine Infektion geben, gewiß. Man wird dem Jungen beide Hände abnehmen müssen.
Die Ärzte schweigen. Nur das Krankenhaus in der Äußeren Enge in Bern hat eine Abteilung für Gefangene. Die Fenster sind vergittert. Im oberen Stock wohnt der Aufseher, ein junger Mann. Er spielt in der Nacht Gitarre oder er hört die Stimme Amerikas, die Stimme der Freiheit; Schlacht auf Saipan.
Es gibt Augenblicke der Stille, Augenblicke der Angst. Man möchte aufstehen und die Arme im Gitter baumeln lassen; aber das Fenster ist zu hoch.
Auch Ueli ist schwer verletzt, sagt der junge Aufseher. Er ist nach dem Sprung über die Mauer gestürzt. Er hat einen Halswirbel gebrochen.
Hat Be ihn zur Flucht überredet? Wer will das entscheiden? Beide gehören zur Stallmannschaft. Be hat Zigaretten im Stroh versteckt. Sie rauchen heimlich; von Flucht ist nicht gesprochen worden. Eines Tages verschenkt Ueli seine Boxhandschuhe. Er erzählt Be davon.
Kämpf hat die Handschuhe bekommen, sagt er.
Be weiß, daß er lügt.
So. Und du? Was hast du dagegen eingetauscht?
Nichts, sagt Schmeling.
Be schaut ihn an.
Ich bin in Form, sagt Schmeling.
Damit ist die Flucht eine beschlossene Sache.

Sie rauchen eine Zigarette; jeder drei volle Züge, dann stecken sie den Stummel an einen Strohhalm, um ihn ganz aufzurauchen.

Später einmal sagt Schmeling: Wir springen durchs Fenster, das ist die einzigste Möglichkeit.

Schmeling hat es nicht nötig, seinen Schrank abzuschließen: hier liegt ein Lavabrocken, das Heft mit den Werbebildern für Kraftmanns Haarwasser und eine Sportzeitschrift. Die Boxhandschuhe hat er im Schafstall versteckt.

Im Juni ist es früh hell; die Mauer ist in vages Grau getaucht, in ein Grau mit dunklen Einsprengseln, den Scherben, den Drähten, den Splittern, den Flaschenböden. Man muß versuchen, sich beim Absprung von der Fensterbank aufzurichten, dann, während man springt, die Arme nach vorn zu werfen und mit den Händen die Mauerkappe zu erreichen.

Be hat nie mehr von Schmeling gesprochen.

Er steht jetzt am Tor; es ist bald fünf Uhr.

Ein Mann, eine Frau, drei Männer, eine Frau, betreten den Hof, sehen ihn an, sehen weg und gehen vorüber.

Der junge Spitalaufseher hat alles aufgeschrieben, was er von Be erfahren konnte.

Ich werde eines Tages ein Buch schreiben, sagt er.

Ein Buch über die Flucht, über die Anstalt. Es wird schwierig sein, einen passenden Titel zu finden, was meinst du? Von Schmeling hat Be nicht berichtet. Schmeling ist tot. Nach dem Gottesdienst wird sein Grab besucht, jeden Sonntag; so lautet die Vorschrift der Anstaltsleitung. Man geht vorsichtig auf den schmutzigen Wegen; man nähert sich dem Grab; man singt ein Lied. An Besuchstagen beeilt man sich. Es ist bald Mittag; rasch ist der Abend da. Um 16 Uhr 40 fährt der letzte Zug. Die Pfadfinder kom-

men von den Hügeln zurück. Nichts Verdächtiges ist bemerkt worden. Sie marschieren durchs Dorf, in ihren Wimpeln bewegen sich die Wappentiere. Die Tore der Anstalt werden eben geschlossen; die Pfadfinder salutieren, der Anstaltsleiter grüßt zurück.
Am Haus haben sich die Türen geöffnet.
Die Zöglinge versammeln sich in der Halle, nach Familien geordnet, drei stumme Reihen. Appell. Vierunddreißig Mann. Keiner fehlt. Der Tag ist zu kurz gewesen. Was hatte man sich alles vorgenommen!
Man hat versucht, einen Brief zu schreiben. Man hat sich an den Tisch gesetzt, den gespitzten Bleistift in der Hand. Man hat eine Unterlage gefunden, einen grauen Karton. Man hat auf den Karton gezeichnet; gedankenlose Kritzelei, Achter, Kreise, Striche, eine Frau mit großen Brüsten. Wovon soll Schose schreiben?
Um zehn Uhr ist Lichterlöschen, lieber Reubell. Ich habe deinen Besuch erwartet. Be hat seine Mutter erwartet. Negus wird auch nie besucht. Nachts ist es heiß in den Schlafsälen. In den untern Stockwerken macht Schaltenbrand eine Kontrolle. Die Bettnässer werden geweckt; die Wasserleitung dröhnt. Man versucht, die Geräusche zu trennen: Worte, Schritte, Stimmen. Man versucht zu erraten, was los ist. Nach einer Weile vermischt sich alles zu einem leisen, bebenden Pochen.
Abtreten, sagt Schaltenbrand, und sofort lösen sich die starren Reihen.

# 4

Die Besucher sind abgereist. Noch hat man ihre Worte im Ohr.
Weißt du, das Skilaufen ist nicht mehr wie früher. Früher hat man Leinöl als Gleitaufstrich verwendet, erinnerst du dich? Großvater hat im Oktober immer einen Liter Öl nach Hause gebracht.
Vier Jahre bist du nun weg; inzwischen hat sich draußen manches geändert. Wenn du hier endlich herauskommst, werden wir zusammen Ski fahren. Vielleicht sehen wir auch die Klubhütte am Öschinensee? Das wäre eine gute Idee. Deine Ski sind in Ordnung. Ich habe mit dem heißen Eisen die Wachsreste entfernt. Großvater war dagegen, du kennst ihn ja. Er ist auch gegen das Pistenfahren. Im Neuschnee ist er mit dem Telemark immer zurechtgekommen, das gebe ich zu. Aber wer fährt heute noch Telemark? Schade, daß ihr in der Anstalt nicht Ski fahren könnt. Wir werden es nachholen, wenn du frei bist. Du wirst dich erst später nach einer Stelle umsehen. Du hast Zeit genug. Wir können abwarten. Niemand drängt dich; man wird die Firma Hassler im Auge behalten müssen und auch Hauser & Cie.
Niemand zwingt dich, stundenlang in der Kälte mit klammen Händen weiterzumachen und im Regen zu stehen. Es wird alles anders sein. Du wirst Halbschuhe tragen und Kleider aus weichem Stoff.
Schose sagt es sich hundertmal: Wenn du entlassen bist, wird es dir besser gehen. Du wirst dich wohlfühlen. Du wirst den Mädchen nachsehen. Du wirst ein Zigarettenpaket aus der Tasche nehmen. Du darfst rauchen, ja, auf der Straße zündest du dir eine Zigarette an. Das Zünd-

holz läßt du fallen. Du gehst an einem Kino vorüber; im Schaukasten sind Fotos ausgestellt; ein Mann mit einem Revolver betritt das Zimmer; auf dem Bett sitzt eine Frau in einem enganliegenden Pullover; sie sieht den Mann in ihrem Spiegel; sie hat schreckgeweitete Augen; ihr Mund ist leicht geöffnet; der Mann weiß, daß sie ihn gesehen hat; er lächelt grausam und selbstsicher.

Niemand hindert dich, das Kino zu betreten. An der Kasse fragt man: Welchen Platz wünschen Sie, mein Herr?

Im Vorfilm werden Sportberichte gezeigt, Fußballmeisterschaften, Boxkämpfe, ein Leichtathletiktreffen; später eine Modeschau.

Die Röcke werden länger, sagt eine Stimme. Die Mannequins drehen sich auf dem Steg. Die Zuschauer an den kleinen Tischen applaudieren.

In der Pause kannst du draußen eine Zigarette rauchen. Du hörst Musik. Du bist glücklich. Es geht dir gut.

Welch ein Erwachen, wenn die Besucher abgereist sind! Am Montagmorgen werden die Zöglinge um 5 Uhr 30 geweckt. Schaltenbrand öffnet die Türen: Hopp, Tagwacht, los, los! Sie springen auf und stehen stramm.

Die Läden werden aufgestoßen; es regnet nicht. Die Bettnässer melden sich; sie tragen ihre Matratzen und Leintücher zu den Gestellen hinter dem Hühnerhof.

Die Betten werden vor dem Morgenessen gemacht, Leintücher straff gespannt, Wolldecke kürzer genommen, Oberleintuch im oberen Viertel umgeschlagen, Kissen geschüttelt; dann ist Plankenordnung: Zahnglas rechts, Zahnbürste im Glas, Borsten nach rechts gerichtet, Zahnpasta links, ganz links steht die Flasche Kaliumpermanganat, je eine Flasche für fünf Mann.

Die Saalwischer beginnen ihre Runde. Sie sprengen Wasser, das Wasser bindet den Staub am rissigen, blaugestri-

chenen Bretterboden. Schon eine Stunde später hat sich unter den Betten neuer Staub gebildet. Vierzehn Betten stehen in jedem Saal, blaugestrichene Eisenbetten.
Nach dem Morgenessen ist das Betreten der Schlafsäle verboten. Bei gutem Wetter versammeln sich die Zöglinge zur Arbeit im Hof, bei schlechtem Wetter in der Halle. Das Wetter ist gut; es regnet nicht. Im Dezember gibt es in der Flußgegend keine Sonnentage; daran hat man sich gewöhnt. Tore, Mauern, Bäume fühlen sich feucht und schleimig an. Der Boden ist nicht gefroren; erst im Januar wird Schnee fallen. Der Wind wird auf Nordost drehen; die Kälte kommt mit den klaren Nächten. In den Gärten blühen im Dezember auf verdorrten Stielen noch immer die Rosen. So ist es in der Flußgegend; der Nebel mildert die Kälte. Astern und Chrysanthemen blühen; der weiße Jasmin blüht. Der Nebel liegt über dem Dorf; er senkt sich über die Brücke; ihre Pfeiler, ihre Gleise, ihre Geländer versinken im Nebel. In der langen Nachmittagsdämmerung verschwimmen die Felder, die Höfe, die Wälder. Die kurzen Tage müssen genützt werden. Wer draußen arbeitet, beeilt sich.
Die Zöglinge sollen in der Anstalt einen Beruf erlernen. Manche wollen Gärtner werden. Dalli, an die Arbeit. Sie stellen sich vor, wie es sein wird: ein Gärtner darf sich nicht ums Wetter kümmern. Er hat seine Arbeit auch unter schwierigen Bedingungen zu leisten; er muß Kompost fahren, Zwiebeln reinigen, Bäume umpflanzen oder schneiden. Wohin käme ein Gärtner, wenn er nur an schönen Tagen arbeiten wollte?
Der Anstaltsgärtner ist ein alter Mann. Er ist ein guter Lehrmeister. Seine Lehrlinge haben an den Lehrlingsprüfungen die besten Noten. Er heißt Josef Steinegger. Der Anstaltsleiter ist nicht mit ihm zufrieden.

Steinegger hat keine Disziplin, sagt er oft. Die Leute gehorchen ihm nicht. Er macht alles selbst. Steinegger mit seinem Esperantofimmel!
Der alte Gärtner ist Mitglied im Esperanto-Verein. Er glaubt an Esperanto. Er meint, die vielen Fremdsprachen sind schuld an immer neuen Kriegen. Was sonst? sagt er jedem, der ihm zuhören will. Was könnte es sonst sein? Die Völker verstehen sich nicht, das ist es.
So einfach ist es auch wieder nicht, sagen seine Zuhörer.
Sie wissen nicht, wie man in Zukunft Kriege verhindern könnte. Sie wollen dem alten Mann nicht widersprechen. Steinegger kennt die Anstalt. Er hat im Stall gearbeitet. Wenn man älter wird, vertauscht man die Stallarbeit gerne mit der leichteren Beschäftigung im Garten. Manchmal wird man sogar zu Privaten gerufen. Zwei oder drei Zöglinge dürfen ihn begleiten. Sie setzen eine Trockenmauer im Pfarrgarten; sie graben ein Schwimmbassin im Park des Doktors. Steinegger zeigt ihnen, wie man den Stein behaut. Darauf versteht er sich. Stein ist nicht hart; er ist nur spröde. Ein Schlag mit dem Daumen auf eine empfindliche Kante, und er ist gesprungen. Wie kann man vom Stein behaupten, er sei das Härteste? Steinegger arbeitet gerne mit Jurakalk. Die Kalkfarben gefallen ihm besser als das stumpfe Grau im Granit. Steinegger gibt seinen Zöglingen Ratschläge. Der Umgang mit dem Spitzeisen will gelernt sein. Der Hammer ist wichtig. Es darf kein Stahlhammer sein. Stahl ist starr. Eisen ist elastisch. Ein Eisenhammer fängt den eigenen Schlag auf. Der Stein springt nicht, wenn man ihn mit einem Eisenhammer bearbeitet.
Von Maschinen will Steinegger nichts wissen.
Er ist alt geworden, sagen sie in der Anstaltsleitung. Er kann sich dem modernen Leben nicht anpassen. Ohne Ma-

schinen kommt man heute nicht mehr aus. Es gibt kein Zurück. Es ist dumm, das nicht einsehen zu wollen.

Nein, der alte Gärtner hat keine Pläne. Wenn die Zöglinge aus dem Brandmoos entlassen werden, wünscht er ihnen viel Glück für ihre Zukunft. Fast nie haben sie Zeit, sich bei ihm zu verabschieden; aber wenn sie zu einem Besuch kommen, nach Jahren manchmal, fragen sie zuerst nach dem Alten.

Ist er noch da? fragen sie. Lebt er noch?

Ja, er pflanzt jetzt Teekräuter. Er läßt sich jeden Frühling die Kataloge aus dem Berner Kaufhaus schicken, obwohl in der Anstalt keine Rosen gepflanzt werden.

Was haben die Zöglinge nicht vergessen? Sein Gesicht vielleicht? Seine seltsame Art, eine Blume anzufassen?

Sie wissen es selbst nicht.

Er ist immer noch der gleiche, sagen sie. Er lebt sein eigenes Leben.

Die Zöglinge können sich nicht beklagen. Sie sind früh genug vor dem Gärtnerberuf gewarnt worden. Die Lehrzeit ist hart. Die Aussichten, später eine gutbezahlte Stelle zu finden, sind gering. Wie viele Gärtner wechseln später ihren Beruf.

Die Anstalt hat andere Möglichkeiten zu bieten. Sie hat verschiedene Abteilungen. Ein Gefangener kann Maschinenschlosser werden, Bäcker, Schuhmacher, Schreiner und Bauer. Nicht jeder kann sich frei entscheiden. Mancher kommt zu spät ins Brandmoos; er wird zu früh entlassen; er hat keine Zeit, die Lehre zu beenden.

Die Schweiz ist kein Industrieland; sie ist das Land der Bauern, der Viehzüchter; nach dem Krieg wird sich das zeigen: der Anstaltsleiter sagt es immer wieder. Die Bauern müssen lernen, was es heißt, zusammenzuhalten. Jeder betreibt heute noch seine Landwirtschaft, wie es ihm ge-

rade paßt. Das muß aufhören. Die Bauern haben eine wichtige Stimme; der Krieg hat ihr Selbstbewußtsein gefördert. Gemeinschaftswerke müssen geplant werden. Ein gelernter Knecht ist mehr wert als ein ungelernter Arbeiter!
Die Erziehungsdirektion stimmt dem Verwalter zu. Anstalten sind Selbstversorger. Man muß zufrieden sein, wenn ein Agronom heute noch Anstaltsleiter sein will. Er hat es nicht leicht. Er führt kein geordnetes Familienleben. Seine Frau ist mit in den Betrieb eingespannt. Ein geschulter Psychologe wäre als Anstaltsleiter ungeeignet. Charakter, das ist es, worauf die Erziehungsdirektion Wert legt; Beständigkeit, Organisationstalent, Verständnis für die Fragen der praktischen Landwirtschaft. Der Hausvater wird anständig bezahlt; nur ein kleiner Teil seines Einkommens wird ihm für freie Station und Wäsche abgezogen; im Kanton Aargau ist es nicht anders. Man muß zusehen, daß die Bedingungen in den einzelnen Kantonen ähnlich bleiben. Der Kanton Bern kann es sich erlauben, hohe Löhne zu bezahlen. Ein Mann, der rechnet, weiß die Vorteile, die der Kanton ihm bietet, zu schätzen. Ein krisensicherer Beruf ist geschätzt. Die Pensionskasse gilt viel bei verheirateten Frauen; sie halten ihre Männer dazu an, die Beamtenlaufbahn einzuschlagen. Pflichtbewußtsein wiegt auf die Dauer mehr als alles andere, heißt es.
Die Erziehungsdirektion ist mit der Anstaltsleitung im Brandmoos nicht unzufrieden. Das Vorsteher-Ehepaar macht seine Sache recht. Gelegentliche Reklamationen von Untergebenen oder von übergeordneten Stellen sind unvermeidlich; darüber geht man stillschweigend hinweg; ein Tadel verletzt den Betroffenen. Besser, man läßt die Reklamationen unerledigt in der Schreibtischschublade liegen. Besser, man tut, als sei alles in Ordnung. Man läßt Gras über die Sache wachsen.

Be hat einen zweiten Fluchtversuch unternommen. Be ist geflohen. Im Dezember ist es nicht schwer zu fliehen. Keiner hat es bis heute versucht; Be ist der erste.
Gewöhnliche Ausreißer lassen sich durch die frühen Sonnentage im April zur Flucht verleiten. Das kennt man. Man weiß, wo man sie wieder aufgreift. In den Bahnhöfen stehen sie vor einem Kiosk, vor den Zigarettenautomaten. Sie versuchen, auf einem der Frachtschiffe anzuheuern. Man findet sie in den Straßen und in den Dörfern, aus denen Diebstähle gemeldet werden.
Nein, nicht Be!
Wenn sich die Familien zur Arbeitsausgabe versammeln, bleibt sein Platz offen. Man hat die Gerüchte gehört; man hat den Zöglingen verboten, von Be zu reden. Er würde lachen, wenn er das wüßte. Be hat ein seltsames Lachen; es huscht über sein Gesicht und ist vorüber, noch ehe es seine Augen erreicht.
Weiß Steinegger, wo Be sich versteckt? Be hat in den Treibhäusern gearbeitet; er hat geholfen, die Saatkartoffeln von jungen Trieben zu säubern.
Es ist nicht anzunehmen, daß Steinegger etwas von Bes Flucht gehört hat. Er ist zu alt. Mit alten Leuten ist nichts anzufangen. Sie sind unfähig, ihre Aufmerksamkeit auf eine bestimmte Aufgabe zu lenken. Sie sind mißtrauisch. Worte bedeuten ihnen wenig. Sie sind störrisch. Sie wollen sich nicht unterordnen. Sie haben ihre eigenen Ideen im Kopf. Wenn sie mit der Marschmusik durchs Dorf ziehen, am Ende des Zuges, sind sie nicht einmal fähig, im Gleichschritt zu gehen. Steinegger hat nichts zu sagen. Er schaut sich um; die Gesichter lassen ihn kalt. Er betrachtet den Himmel, den Dezembertag ohne Schnee. Die Lampen brennen in den Häusern auch tagsüber. Der Nebel bindet den Duft der Erde. Der Nebel liegt über den Fel-

dern. Die Gerüche, die sich im Nebel niederschlagen, haften am Boden. Sie sind giftig, metallen, ätzend; selbst die Hunde verlieren ihren Geruchsinn. Mit Hunden kann man im Nebel keinen Flüchtling finden. Die Hunde verirren sich in den Wäldern. Sie reißen Hasen. Sie werden von den Jägern abgeschossen oder fangen sich in den Fuchseisen. Sie schließen sich zu Rudeln zusammen und schleppen die Tollwut in nächtlichen Überfällen von Dorf zu Dorf. Die Bauern legen ihre Hofhunde an die Kette. Man darf sich beruhigen: Be kennt die Gewohnheiten der Hunde. Er hat die Köter schon immer gehaßt, die Hasenhetzer, die Baumpisser! Steinegger geht ins Haus.

Seit November führt der Fluß Niedrigwasser. Einer, der über den Fluß will, kann es nur im Dezember wagen. Im Meßhaus liegt die rote Marke sechs Zoll unter der Standlinie. Dumpf und wie aus großer Ferne sind vom Fluß her die Glocken und Hörner der Lastkähne zu hören. In diesen Kriegsjahren hat der Fluß, zum letztenmal wohl, eine große Zeit. Leute, die Wasserkarten lesen können, sind gesucht. Immer wieder gibt es Unfälle; Kapitäne sind verloren, wenn sie den Fluß nicht genau kennen.

Steinegger bleibt in der Halle stehen. Draußen auf dem Platz sind die lauten Stimmen; Motorengeräusch kommt dazu, jetzt ein Motor, der in der Kurve beim Kornhaus aufheult, da, wo die meisten Fahrer den zweiten Gang einlegen.

Woher auf einmal die vielen Autos? Man hört, wie sie in der Nacht ihre Positionen wechseln, Land-Rovers, Jeeps, amerikanische Sanitätswagen in Einerkolonne, mit abgeblendeten Scheinwerfern. Am Tag parken sie, über und über mit Farbe beschmiert, unter Zeltplanen und Tarnnetzen im Anstaltshof; sie werden von Soldaten mit Maschinenpistolen bewacht.

Vor den Soldaten muß sich ein Flüchtling in acht nehmen. Sie sind mit allen technischen Errungenschaften ausgerüstet. Sie sind in den umliegenden Dörfern und in den Wäldern stationiert. Sie haben Zeit, sich um einen Flüchtling zu kümmern. Die Schweiz ist ein deutschfreundliches Land, hat man noch 1940 gesagt. Jetzt hat sich alles geändert. Die Armeeleitung hat amerikanische Waffen gekauft. Die Gemeinen werden nicht mehr angebrüllt. Auf die Zivilisten wird Rücksicht genommen; ihr Besitz wird geschont. Aber es wäre falsch anzunehmen, ein Offizier könne heute einen Zivilisten nicht mehr verfolgen lassen, wenn ihn die Behörden darum bitten.

Steinegger ist in der Halle stehengeblieben. Er hat kein Licht angezündet.

Es ist dunkel, kaum ist die Standuhr an der Wand gegenüber zu erkennen. Das Fliesenmuster verdämmert an den Schwellen. Steinegger schließt die Augen; sie sind im Alter schlecht geworden. Er strengt sich nicht an; er kann sich die Schwäche eingestehen.

Was machst du da? fragt ihn jemand.

Er muß die Augen nicht öffnen, er weiß, es ist Schaltenbrand, es ist die bekannte Stimme, eine unbeherrschte hohe und kalte Stimme.

Du! Schaltenbrand genießt es, den Alten zu duzen. Schaltenbrand ist selbst vor Jahren in der Anstalt Zögling gewesen. Steinegger glaubt, er habe bei ihm die Gärtnerlehre gemacht; sein Gedächtnis hat nachgelassen. Jetzt ist der ehemalige Zögling Aufseher, und Steinegger behauptet, Schaltenbrand fürchte sich noch immer vor Schlägen.

Er hat die Angst nie überwunden, sagt Steinegger. Schaut nur, wie er den Kopf schräg hält, wenn er überrascht wird. Schaut, wie er sich duckt, wenn man ihn erschreckt. Etwas in ihm ist zerbrochen. Deswegen prügelt er die Zöglinge.

Ledermann hat gestanden; wir wissen jetzt, wo sich Be versteckt, sagt Schaltenbrand. Du hast es verheimlicht; aber Schnorrer ist weich geworden. Zwei Wochen Einzelhaft im Winter machen jeden mürb, das garantiere ich dir. Es hilft nichts, daß der alte Steinegger neuerdings gegen die Interessen der Anstaltsleitung handelt. Du kommst nicht mehr mit, Alter. Gibs auf! Du bist in einer andern Welt groß geworden. Morgen holen wir uns Be, darauf kannst du Gift nehmen.
Schaltenbrand beginnt zu pfeifen. Auf dem Hof wird es laut. Die Arbeit ist verteilt; Werkzeuge werden geholt; die Stallmannschaft betritt das Haus; Schuhwechsel, Kleiderwechsel. Steinegger geht durch die Tür an der Nordseite. Er zögert. Er geht der Mauer entlang über den Hof.
Schose kann einen Teil des Hofes überblicken. Er sieht, wie der Alte sich umwendet und ihm einen kurzen Gruß zuwinkt. Sie werden Be nicht finden. Er ist nicht mehr in seinem Versteck. Sie werden seine Spuren entdecken, gewiß. Kondensmilchbüchsen, Schokoladepapier, eine Wolldecke.
Er ist hier gewesen, werden sie sagen, man sieht es. Schnorrer hat uns nicht angelogen.
Zehn Tage Schweigen, so hat er es mit Be abgemacht; daran hat er sich gehalten. Be hat ein besseres Versteck gefunden. Wenn der Krieg vorbei ist, geht er über die Grenze nach Frankreich.
Schnorrer setzt sich auf sein Bett. Die Zelle ist schmal; es ist kalt; der Nebel dringt durch die Ritzen des Daches; das vergitterte Fenster schließt nicht richtig. Wozu dienen die Gitter am Dachfenster? Der Architekt würde eine Antwort finden.
Alles ist einheitlich gelöst, würde er sagen; alle Fenster

sind zu vergittern. Das Gesamtbild des Hauses ist harmonisch: Wände und vergitterte Fenster. Die Erziehungsdirektion hat später die Aufenthaltsräume renovieren lassen; die Gitter hat man im Zuge der Renovation weggenommen. Eine Gruppe der Aufsichtskommission befürwortet die Wegnahme aller Gitter. Ihr Endziel ist es, größere Fenster zu bauen und sogar die Mauer einzureißen. Kompromisse werden geschlossen. Schon Teillösungen darf man als Erfolge betrachten. Man geht am besten in Etappen vor. Zunächst wird man sich auf die Ostseite des Hauses beschränken; sie ist dem Besucher zugewandt. Es würde als fortschrittlich gelten, alle Fenster der Ostseite von ihren Gittern zu befreien. Mit den Aufenthaltsräumen hat man begonnen; warum soll man nicht weitermachen? Ist es so, daß der Architekt bessere Argumente hat als die fortschrittlichen Mitglieder der Aufsichtskommission.

Schnorrer hat sich an die Gitter gewöhnt. Er geht in der Zelle auf und ab. Er ist gewachsen. Sein Pullover läßt die Handgelenke frei. Er liebt es, auf dem Bett zu sitzen.

Durch die Gitterstäbe ist der Himmel zu sehen, ein in Quadrate eingeteiltes, flaches Grau. Wenn man ans Fenster geht, sieht man Tannenspitzen, Wald, Dächer, Häuser, Bäume. Erst dann überblickt man einen Teil des Hofes und, gegenüber, das Verwaltungsgebäude mit dem großen Fenster des Speisesaales und den Flügelfenstern des Büros. Wenn dort die Vorhänge nicht zugezogen sind, kann man Fräulein Kämpfs Gesicht im Schimmer der Schreibtischlampe sehen. In regelmäßigen Intervallen kommt der Verwalter aus dem Dunkel des Zimmers in den Lichtschein. Er dreht die Zigarre im Mund und taucht in die Dunkelheit zurück.

Auch die Pferde- und Kuhställe sind zu sehen. Am Nachmittag arbeiten die Zöglinge in Gruppen. Der Aufseher

steht herum und raucht eine Zigarette nach der andern. Er zeigt mit der Hand in eine bestimmte Richtung: der Zigarettenrauch folgt der Bewegung.
Schnorrer bewohnt die Zelle seit dreizehn Tagen. Ihre Wände sind einmal weiß gekalkt gewesen; jetzt löst sich der Verputz. Die alten Inschriften sind nicht mehr leserlich. Wer eine Botschaft hinterlassen will, kommt mit dem Bleistift nicht zurecht. Vielleicht hat man Glück; vielleicht findet man eine Ziegelscherbe. Sie darf nicht zerbrechlich sein, nicht zu spitz. Man muß darauf achten, daß sie gut in der Hand liegt. Man ritzt in den Boden ein, was man mitzuteilen hat. Manchmal macht man nur eine Zeichnung. Schnorrer zeichnet Kreise, die ineinanderlaufen, wie Achter. Der Boden unterm Bett eignet sich dafür besser als der Boden am Fenster; er ist leichter zu bearbeiten.
Die Zelle wird wohl in den nächsten Jahren aufgegeben; sie hat ihren Dienst getan. Schon jetzt wird sie den Besuchern nicht mehr gezeigt. Man kommt davon ab, Zöglinge in Einzelhaft zu halten. Man hat neue Strafmethoden entdeckt: die Selbstbezichtigung etwa.
In der Halle stehen, nach Familien geordnet, die Kameraden; im Sessel sitzt der Anstaltsleiter. Er raucht die Zigarre. Schaltenbrand bringt den Delinquenten. Er hat noch einmal zu gestehen. Schnorrer scheut sich nicht, Bes Versteck zu verraten. Wozu auch? Be hat es verlassen; er ist in Sicherheit.
Morgen holen wir ihn, sagt Schaltenbrand.
Die Zöglinge halten den Kopf gesenkt. Es ist ihnen gleichgültig, was mit Be geschieht. Wenn er zurückkommt, wird ihn keiner auslachen. Hier gelten andere Gesetze als vor der Mauer. Möglich, daß sich einer dort nicht mehr zurechtfindet. Wer hier das Unmögliche wagt, wird ernst genommen, auch wenn er keinen Erfolg hat. Erst in drei

oder in vier Tagen werden sie unruhig. Vielleicht hat die Polizei etwas Neues herausgefunden?
Die Anstaltsleitung gibt sich Mühe, die Gerüchte zu zerstreuen. Der Flüchtling Benninger hat sich verletzt; er ist in Spitalpflege gegeben worden! Diesen Satz wird man am schwarzen Brett lesen können.
Negus glaubt nicht, daß sie ihn erwischt haben.
Wide sagt: Sie hätten ihn uns gezeigt, genau wie im vergangenen Juni. Sie lassen keine Mißverständnisse aufkommen. Einen Verletzten kann man auf der Bahre durch die Halle tragen; das genügt.
Die Zöglinge sind nicht so leicht von ihrer Meinung abzubringen. Sie sind mit der Handlungsweise der Leitung vertraut. Sie spüren, wenn man sie anlügt. Sie haben Zeit genug, nachzudenken.
Die Anstaltsleitung erkundigt sich beim Erziehungsdepartement: Was ist zu tun?
Vorsicht, antwortet man ihr, Vorsicht ist am Platz. Keine übereilten Handlungen. Es gilt, kaltes Blut zu bewahren. Man hat Erfahrungen gesammelt. Wie gut, beispielsweise, daß die Schweiz 1939 ihre Neutralität nicht aufgegeben hat, obwohl namhafte politische und militärische Berater sich dafür ausgesprochen hatten. Nein, natürlich ist es nicht dasselbe, natürlich liegt der Fall anders; aber ist es nicht gut, aus ähnlichen Vorkommnissen Schlüsse zu ziehen? Gerade aus Vergleichen, die nicht ganz mit den eigenen Problemen übereinstimmen, kann man lernen.
Es ist am besten, man läßt Gras über die Sache wachsen. Sie wird sich zu einem späteren Zeitpunkt aufklären oder aber rasch vergessen sein.
Das Erziehungsdepartement rechnet nicht mit den Gerüchten. Gerüchte werden hinter der Mauer zu Legenden.
Endlich ist es einem Gefangenen gelungen, zu fliehen, wer-

den die Zöglinge sagen. Man hat ihn nie mehr gefunden: einer tat es für alle.

Die Ermittlungen sind noch nicht abgeschlossen, schreibt das Erziehungsdepartement. Wir werden die Bauern einzeln befragen. Lassen Sie uns freie Hand; wir halten Sie auf dem laufenden.

Viele amtliche Schreiben sind schon eingetroffen.

Fräulein Kämpf legt die Briefe ab. Sie hat einen Ordner für die eingehende und einen für die ausgehende Post.

Wieder ein Brief vom Erziehungsdepartement, sagt sie beim Mittagstisch.

Was schreiben sie? Gibt es etwas Neues?

Nichts von Belang. Sie tun so als ob.

Der Briefträger wird hereingebeten. Er darf ein Glas Schnaps trinken. Er bringt die Post immer vor dem Essen. Er ist in Eile; er trinkt im Stehen.

Wie kalt es geworden ist! Wer weiß, vielleicht werden wir weiße Weihnachten haben? Und so plötzlich, nicht wahr, der Kälteeinbruch. Aber das Radio sagt eine neue Depression voraus, Föhnlage, Regen bis achtzehnhundert Meter Höhe. Das Radio weiß nichts.

Der Briefträger hebt den Finger: Nichts, sage ich Ihnen. Mein Bein schmerzt nicht; ich spüre jeden Wetterumschlag zwei Tage voraus, da in meinem Bein. Wie oft redet das Radio von schönem Wetter! Man darf sich nicht auf die Prognosen verlassen.

Ja, da haben Sie wohl recht, sagt Fräulein Kämpf und füllt dem Briefträger das Glas nach.

Schnorrer sieht ihn durch die Scheiben des Aufenthaltsraumes das Haus betreten und wieder verlassen; Schnorrer ist nicht mehr in der Zelle.

Nach dem Essen versammelt der Anstaltsleiter die Zöglinge in der Halle. Sie lernen ein neues Lied; es ist ein

Weihnachtslied mit langen Strophen. Man darf sich nicht erst in letzter Minute auf das Fest vorbereiten. In der Anstalt ist Weihnachten die wichtigste Feier des Jahres. Das Haus wird geschrubbt; zwei Putzgruppen reiben die Böden mit Wachs ein. Neue Kleider werden geschneidert. Die Lehrlinge in der Schuhmacherei stellen alle auswärtigen Aufträge zurück. Die Orthopäden vertrösten ihre Kunden auf Neujahr; zu Weihnachten ist der eigene Bedarf groß genug; Negus ist nicht der einzige Klumpfuß in der Anstalt.

In der Bäckerei werden Stollen gebacken; der Lehrmeister hat das Rezept an eine Wandtafel geschrieben, ein Kriegsrezept: vierhundert Gramm Mehl, hundert Gramm Butter, zweihundert Gramm Nußfett, vier Eier. Man darf sich in den Massen nicht täuschen; das Rezept hat sich bewährt; man erwartet ein bestimmtes Resultat; da dürfen keine Fehler gemacht werden.

Nur in den Ställen gibt es immer dieselbe Arbeit. Die Ställe sind sauber. Vor Maul- und Klauenseuche wird gewarnt. Vroni hat zwei Kälber geworfen, ein Kuhkalb und ein Stierkalb; man kann mit ihr zufrieden sein. Eine Sau wird auf Weihnachten geschlachtet. Die Metzgerlehrlinge haben sich die schematische Darstellung Nummer fünf, SCHWEIN, an die Wand ihres Klassenzimmers gehängt. Die einzelnen Fleischarten werden farbig ausgemalt und in Steinschrift gekennzeichnet. Auch das Messerschleifen will geübt sein. Man kann ein Messer auf der Maschine schleifen; mit Bürsten erzielt man einen Feinschliff: er hält aber nicht lange; er ist empfindlich gegen Temperaturunterschiede. Wenn ein solches Messer einmal mit heißem Wasser gewaschen wird, ist die Schneide nicht mehr scharf genug.

Die Lehrlinge werden in der Kunst unterrichtet, ihre Messer mit Wasser auf dem Stein zu schleifen. Eine Woche vor Weihnachten wird die Sau aus dem Koben geholt. In den Sommermonaten, wenn sie sich draußen suhlt, kann sie mit einem Stock in den Hof getrieben werden. Im Winter ist das anders; im Winter fürchtet sie die Freiheit. Am besten, sie wird in eine Kiste gesperrt und mit dem Wagen zum Kornhaus geführt. Im Kornhaus sind die Waschküchen eingerichtet. Hier wird sie ausgeladen und an einen Pfosten gebunden.

Wer beim Kornhaus zu tun hat, kann später die Lehrlinge beobachten; sie knien vor dem hölzernen Bottich; sie tragen orangefarbene Gummischürzen; ihre Gesichter sind im Wasserdampf gedunsen.

Schon vormittags werden jetzt Pakete ausgetragen. Der Briefträger hat einen Gehilfen bekommen; auch der Gehilfe trinkt gerne ein Glas Schnaps. Die Hausmutter gibt den beiden einen Korb mit; viele Pakete sind zu erwarten.

Wie geht es Ihrem Bein?

Es geht, sosolala.

Der Briefträger hinkt absichtlich beim Weggehen.

Es regnet seit drei Tagen. Der Rieselregen ist kaum wahrnehmbar. Eines Morgens liegt Schnee im Brandmoos. Auf den Straßen schmilzt er; von den Dachrändern fällt er in schweren, überhängenden Massen herunter; auf den Feldern bleibt er liegen; in den Wäldern wird er sich am längsten halten. Die Krähen kreisen über den Tannen. Vielleicht machen sie Spuren eines angeschossenen Wildes aus: welch ein Verräter, der Schnee!

Nachts ist man zu müde um einzuschlafen. Vielleicht schneit es wieder? Das Fenster ist ein helles Viereck. Orgelmusik, eine klare Frauenstimme; Töne und Stimmen von weit her, aus einer unbestimmbaren Ferne. An solchen Abenden stellt man sich die Dorfstraße verlassen vor. Die

Leute sitzen am Tisch in ihrer Stube und lesen die Zeitung. Die Kinder sind schon im Bett. Draußen stehen die Soldaten in Wollzeug und Mänteln Wache; sie gehen durchs Dorf hinunter bis zur Anlegestelle der Lastkähne. Nichts Verdächtiges! Alles in Ordnung! Das Wasser schlägt an die Pfeiler der Brücke; die Brücke versinkt im Nebel.

Die Tage vor Weihnachten sind kurz; keiner hat Zeit, seinen Gedanken nachzuhängen; von Be wird nicht mehr gesprochen. Der Verwalter läßt unter der Hand Zettel verteilen, Wunschzettel. Die Zöglinge schreiben der Anstaltsleitung einen Brief.

Sehr verehrte Hausmutter, schreiben sie: Wir haben uns auf den folgenden Wunsch geeinigt, und sie legen die Speisekarte für den Heiligen Abend fest. Eine Buchstabensuppe, Kartoffelstock oder Bratkartoffeln mit Kalbfleisch, wenn möglich in weißer Soße; zum Nachtisch Schokoladencreme. Mit bestem Dank jetzt schon: Die Zöglinge, Brandmoos, Weihnachten 1944.

Im Verwalterhaus richten die Mägde und Küchenmädchen die Gästezimmer her. Sie überziehen die Betten und heizen die Öfen. Die Schreinerlehrlinge bringen Holz aus dem Schopf; Tannenholz, Buchenscheiter. Die Lehrwerkstätten werden aufgeräumt. Schaltenbrand macht die Runde. Er fährt mit dem Finger über eine Türfüllung.

Das soll sauber sein? brüllt er. Ihr Kerle, ich werde euch Mores lehren! Marsch an die Arbeit!

Die Zöglinge zerlegen die Maschinen, ölen sie und setzen sie wieder zusammen; auch die Sicherheitsschienen müssen überprüft werden. Schnorrer reibt die Transmissionsriemen mit Lederfett ein. Unter seinen Händen wird das Fett flüssig und warm. Blaue Lichter spiegeln sich im Metall. Ein Ruck, der Hebel liegt auf Null; träge verlangsamen die Räder ihren Lauf im Öl und stehen still.

Die Zöglinge sind schweigsam. Nur Schaltenbrands Stimme ist überall.
Am Abend kommen die ersten Gäste, Damen und Herren. In kleinen Gruppen werden sie durch die Werkstätten geführt. Wie sauber alles ist, sagen sie. Genau wie im letzten Jahr!
Damals habe ich mich auf den Boden gesetzt, so sauber ist er gewesen, sagt eine Dame. Da ist die Stelle, ich weiß es noch.
Sie setzt sich wieder an dieselbe Stelle. Es ist schön, daß sich nichts verändert hat. Dort steht immer noch die Rolle Wellkarton.
Die Zöglinge wissen, wie sie sich zu verhalten haben, wenn der Besuch eintrifft. Er kommt mit dem Vieruhrzug; Schaltenbrand holt ihn an der Station ab und führt ihn durch die Dorfstraße zur Anstalt. Der Bäcker tritt vor sein Geschäft; vielleicht hat einer der Herren vergessen, in der Stadt Schokolade zu kaufen? Er kann sich auch hier auf dem Land eindecken, ja, hier wohl noch besser, in diesen schlechten Zeiten.
An den Fenstern der Bauernhäuser bewegen sich die Vorhänge. Die Besucher blicken sich verstohlen um; wer weiß, vielleicht gibt es Eier zu kaufen oder wenigstens Brot, Vierpfünder, frischgebackene. Natürlich müßte man sich auskennen; man darf sich keine Blöße geben. Ein Behördenmitglied als Schwarzhändler; das darf nicht sein.
Unterm Vordach steht der Bauer; er hält dem Hund an seiner Seite die Schnauze zu. Aus dem niedrigen Wohnzimmerfenster fällt dem Hund ein Lichtschein ins Gesicht; seine Augen glühen.
Die Besucher scharen sich enger um Schaltenbrand. Hat man nicht gelesen, daß vereinzelte Fälle von Tollwut vorkommen? Die Tollwut breitet sich im Schwarzwald aus.

Die Jäger sollten endlich eine Abschußerlaubnis bekommen. Wie lange es manchmal dauert, bis die verantwortlichen Stellen handeln!

Um 4 Uhr 10 läßt der Anstaltsleiter die Zöglinge in die Halle rufen. Noch einmal werden die Kleider kontrolliert. Der Verwalter schreitet die Reihe ab. Die Jungen zeigen ihre Hände: Handrücken, Handteller, Fingernägel. Dann das Schuhzeug, die Sohlen, die Kappen. Alles in Ordnung. Die Mägde gehen auf Zehenspitzen vorüber. Sie zünden überall im Haus die Kerzen an; eine Kerze steht auf dem Klavier. Der Verwalter macht eine halblaute Bemerkung; er hat heute keine Zigarre angezündet; er reibt mit dem Daumen ungeduldig den Zeigefinger der rechten Hand. Heute darf nichts schiefgehen. Die Behördenmitglieder legen Wert auf ein gediegenes Fest. Gewiß, man kann sie mit einem Vorkriegsessen bei guter Laune halten, das ist schon viel. Zu Hause werden sie von dem Essen erzählen. Vielleicht bringen sie ein Stück Speck mit nach Hause. Man muß sie bitten, sich zu bedienen: etwas Schweinefleisch, eine Wurst, ein paar Eier, ein Stück Butter.

Die Anstalt ist tadellos im Schuß, sollen sie zu Hause sagen. Der Verwalter ist tüchtig. Er versteht seine Sache. Er hat die Leute im Zaum, das merkt man gleich. Auf den kleinsten Wink gehorchen sie; das ist allerhand. Und auch die Angestellten: alle mögen den Chef. Er versteht es, sie zu begeistern; ein kameradschaftliches Verhältnis; aber er hat die immer nötige Reserve. Er ist eine wirkliche Respektsperson, unser Verwalter. Er ist in seine Stellung hineingewachsen, Jahr für Jahr merkt man das deutlicher Seltsam wache Augen hat er; die Augen eines Mannes, der es gewohnt ist, daß man seinen Befehlen ohne Widerspruch Folge leistet; die Augen eines Mannes, der die Verantwortung trägt.

Wir können uns glücklich schätzen, einen solchen Mann gewählt zu haben. Hoffentlich bleibt er auch nach dem Krieg auf seinem Posten. Gewiß wird er nach dem Krieg gute Angebote erhalten. Die schwere Arbeit in der Anstalt hat ihn vielleicht zu stark in Anspruch genommen. Man müßte ihm einen Mitarbeiter zur Seite stellen, einen Pädagogen vielleicht. Wie soll der Verwalter einen so großen Betrieb allein führen können? Es ist unmenschlich von uns, nicht eher daran gedacht zu haben. Es liegt an uns, Vorschläge zu machen, Personal anzufordern und öffentliche Gelder bereitzustellen. Ein Wunder, daß der Verwalter so lange Geduld gehabt hat. Die Buchhaltung wird immer umfangreicher, aber wir müssen auch in Zukunft auf einer sorgfältigen Buchhaltung bestehen. Die Akten müssen lückenlos geführt sein. Es dürfen keine Belege fehlen. Das sind wir dem Volk schuldig; wir müssen jederzeit die Unterlagen zur Einsichtnahme bereithalten. Vielleicht ist die Sache dem Verwalter über den Kopf gewachsen? Seine Sekretärin macht Überstunden. Er selbst, haben wir gehört, verbringt halbe Nächte im Büro. Er kann nicht mehr schlafen. Müde legt er sich zu Bett; aber schon nach einer Stunde kommt er zu sich und ist hellwach. Er hört die Geräusche im Haus; er versucht, sich wieder zu entspannen, vergeblich. Mit offenen Augen liegt er neben seiner schlafenden Frau.

Die Zöglinge sind angetreten. Es riecht nach Kerzen und nach Äpfeln. An der Westwand der Halle steht die mächtige Tanne. Sie ist mit Äpfeln und Kerzen geschmückt. Die Schreiner haben den hölzernen Fuß mit Tannenzweigen zugedeckt; das ist ein Befehl des Verwalters.

Im Jahre 1931 ist eine Tanne umgestürzt und hat einen Brand verursacht; aus diesem Vorfall hat man die Lehre gezogen: seit 1931 wird der Baum in der Halle mit Schnü-

ren an den eigens dafür angebrachten Mauerhaken festgemacht.
Der Verwalter schaut auf die Uhr: zwanzig nach vier. Jetzt werden gleich die Gäste kommen. Steinegger wird sie in den Speisesaal zu einem kleinen Imbiß führen. Schaltenbrand überwacht inzwischen die Zöglinge in der Halle, während er, der Verwalter und Direktor der Anstalt Brandmoos, sich zusammen mit seiner Frau den Gästen widmet, die überbrachten Grüße erwidert, Hände schüttelt und den Küchenmädchen die nötigen Befehle erteilt.
Zum Imbiß wird Wein getrunken; jedes Jahr liefert das Erziehungsdepartement seinen Anstaltsleitern hundert Flaschen Inselwein. Die Damen mögen vielleicht lieber ein Glas Tee? Für die Herren steht auch Grog bereit. Nach dem Imbiß wollen sie sich umsehen. Sie werden in kleinen Gruppen durch Speisesaal, Büro, Privaträume und Gästezimmer geführt. Sie sind neugierig; jede Tür wird geöffnet.
Ach, da sind ja Ihre Kinder; wie groß sie geworden sind!
Die Kinder haben im Bügelzimmer gespielt. Verlegen stehen sie da.
Kommt und gebt die Hand, sagt die Frau des Verwalters. Seid schön lieb.
Die Gäste lassen sich durch die Kinder nicht aufhalten. Die Werkstätten, die Ställe, Scheunen und Kornhäuser am Stalden werden besucht, Zahlen werden genannt, man redet vom schlechten Sommer, vom Hagel im Monat Juni. Die Versicherungsleistungen sollten endlich erhöht werden. Hagelraketen sind zu nichts nütze.
Jeder hat eine Bemerkung zu machen. In den Ställen sind die Damen Fachleute. Sie lassen den Verwalter ihre Anteilnahme spüren. Wieder zwei Kälbchen, rufen sie aus,

genau wie letztes Jahr! Sind sie nicht süß? Alles, was lebt, gefällt den Frauen. Es ist schutzbedürftig; es ist auf Liebe angewiesen. Sie streichen den Kälbchen über den Kopf; die Kälber weichen zurück. Wenn man sich ihnen von vorne nähert, fürchten sie sich. Auch die Katze duckt sich in die Futterkrippe; die Damen gehen vorüber, ohne sie gesehen zu haben. Die Kaninchen, die Schafe: nichts wollen die Damen versäumen.

Dem Verwalter ist es recht; die Gäste vergnügen sich; die Stimmung hat einen Höhepunkt erreicht. So ist es immer. Erst die Konfrontation mit den Zöglingen stellt alles wieder in Frage. Sie verdirbt den Gästen die gute Laune. Der Verwalter weiß nicht, wie das zu ändern wäre. Vielleicht müßte man die Zöglinge bei ihrer Arbeit zeigen, anstatt in der Halle? Man müßte den Mut haben, eine Neuerung einzuführen, die Risiken auf sich zu nehmen. Aber darf man den Gästen einen solchen Kontakt zumuten? Sie haben Angst vor den Gefangenen, das weiß er. Die Gefangenen sind Ausgestoßene; die Gesellschaft schützt sich vor ihnen durch Mauern.

Gleich werden sie vor dem Haus stehen. In den Fenstern brennen hinter Gittern die Kerzen.

Die Gäste verstummen plötzlich. Die Herren werfen ihre Zigaretten weg; die Damen hüllen sich in ihre Mäntel und ziehen die Röcke zurecht. Der Verwalter stemmt sich gegen das Tor; die große Türfalle bewegt sich; das Tor schwingt auf. Er geht den Gästen voran. Sie sind von den Kerzen geblendet, Kerzen auf jeder Treppenstufe, auf den Lehnen des Armstuhls, auf dem Klavier. Langsam gewöhnen sich die Augen der Gäste an die Lichter.

In der Halle stehen, auf weißen und schwarzen Fliesen ausgerichtet, die Zöglinge. Jeder hält eine Kerze in der Hand. Die Wanduhr schlägt sechsmal.

Zwei Mann fehlen in den Reihen; Benninger und Ledermann. Vielleicht werden die Gäste eine Bemerkung machen? Es sind zwar keine Neulinge dabei. Der Verwalter darf sich beruhigen; die Behördenmitglieder kennen seine Sorgen. Sie werden nicht taktlos sein. Sie werden sich an die Spielregeln halten. Es ist alles in Ordnung. Nichts Verdächtiges zu melden.
Die Zöglinge sind anständig gekleidet; sie tragen lange Hosen, sauber geflickte Pullover, offene, blaue Hemden und schwarze Schuhe. Man wird sich, nach dem Essen, während des gemeinsamen Kirchganges nicht schämen müssen. Die Gäste freuen sich auf den Kirchgang.
Wie schön die alte Dorfkirche ist! Die Anstaltsleute besetzen den ganzen linken Flügel. Vorn, auf den geschnitzten Stühlen, nehmen die Gäste Platz. Der Pfarrer nickt ihnen zu; dann betritt er die Kanzel.
Inzwischen ist der Verwalter ans Klavier gegangen: ein Lied erklingt, ein dreistimmiges Weihnachtslied mit langen Strophen. Die Gäste kennen es nicht. Wo hat der Verwalter die alten Lieder her? Er liebt diese seltsamen Melodien; er findet sie in den Kirchenbüchern des letzten Jahrhunderts; vielleicht hat Luther die Strophen geschrieben, Luther oder Zwingli; es ist ein altes Deutsch. Die Gäste sehen sich während des Gesangs verstohlen um.
Der Gärtner Steinegger hat über der Totentafel einen Kranz aus getrockneten Strohblumen befestigt: Ueli Siegenthaler, geboren 1928, gestorben November 1944.
Es ist ein alter Kranz; aber noch immer leuchten die Farben der Strohblumen rot, gelb, rosa.

# 5

Wo ist jetzt José Claude Ledermann, der Zögling mit dem unmöglichen Namen, Schose der Schnorrer?
Wer im Frühling entlassen wird, darf damit rechnen, abgeholt zu werden. Seine Verwandten haben sich angemeldet; eine ältere Schwester erwartet ihren Bruder im Büro. Wie haben sie sich auf diesen Tag gefreut! Wie viele Pläne sind geschmiedet worden! Wieviel Trost hat der Gedanke an diesen Tag gespendet!
Der Entlassungsschein muß noch ausgefertigt werden: Fräulein Kämpf nimmt die Personalien auf; ein Durchschlag bleibt bei den Akten. Sie reicht die Scheine dem Verwalter, einen gelben Schein, einen roten Schein. Er unterschreibt beide mit seinem Namen. Er schreibt langsam, als sei ihm seine eigene Unterschrift nicht geläufig.
Man wartet. Die Fenster stehen offen. Es ist nicht kalt; der Frühling ist kühler, als man ihn sich in seinen Träumen ausgemalt hat; seit Tagen weht die Bise. Sie trocknet den Boden aus. Staub liegt über den Wegen. Der Himmel zeigt ein dünnes, vom Staub verdüstertes Blau.
Man steht am Tisch; man wartet auf die Entlassung. Man fühlt sich in den neuen Kleidern nicht wohl.
Wer entlassen wird, bekommt von der Anstaltsleitung einen Anzug geschenkt. Auch ein Fiberkoffer wird einem ausgehändigt; der Koffer hat mit Leder verstärkte Ecken. Einen solchen Koffer darf man in der Bahn stehenlassen. Nicht immer ist Platz genug in den Gepäcknetzen der SBB. Man ist froh, wenn der Koffer im Gang nicht Schaden leidet. Er muß etwas ertragen können, achtlose Fußtritte der Mitreisenden vielleicht, oder einen Sturz.
Der Koffer ist ein Geschenk fürs Leben, sagt der Verwal-

ter. Er wird den Zögling von Station zu Station begleiten. Vielleicht trägt er später farbige Etiketten aus allen Ländern; vielleicht verstaubt er in einem Estrich; vielleicht ist er das wichtigste Möbelstück in der Aussteuer des Entlassenen.

Einen Stempel trägt er auch: Heim Brandmoos, Frühling 1945. Der Stempel ist mit blauer Farbe in den Futterstoff eingepreßt worden. Hin und wieder versucht ein Entlassener, seine Herkunft zu verleugnen; das ist sinnlos. Man erwartet von ihm eine besondere Haltung, eine Art Stolz auf die Zeit der Gefangenschaft. Er hat die Einsamkeit kennengelernt; er kann Strapazen ertragen. Einen aus der Anstalt Entlassenen kennt man überall.

Von ihm darf viel verlangt werden, behauptet der Verwalter. Er soll sich früh genug auf das Mißtrauen, das ihn umgeben wird, vorbereiten. Das Mißtrauen ist eine Mauer; vielleicht gelingt es dem einen oder dem andern, sie zu überwinden; die Regel ist es nicht. Man hat vorgesorgt; der Entlassene ist nicht ganz auf sich gestellt. Die Behörden haben ihm einen Vormund bestellt. Es ist die Aufgabe des Vormunds, den ehemaligen Zögling zu überwachen. Er weiß, wo er sein Mündel erreichen kann. Schutzaufseher und Vormund verwalten die Einkünfte des Entlassenen; sie kennen seinen Wohnort. Er darf ihn nicht wechseln, ohne sie gefragt zu haben. Sie bestimmen, mit wem er seine Freizeit verbringt. Er hat bei dem Arbeitgeber, den sie bezeichnen, zu bleiben, bis sie ihm gestatten, eine andere Stelle anzunehmen. Arbeit, Ordnung, Disziplin, heißt ihre Devise.

Aber Schose gehört nicht zu den ordentlich Entlassenen. Die Anstaltsleitung hat es für richtig gehalten, ihn am Weihnachtstag zur Bewährung wegzuschicken. Das Risiko, ihn in der Anstalt zu behalten, ist zu groß gewesen. Vielleicht weiß Schose mehr über Bes Flucht, als er zugegeben hat? Die Behördenmitglieder könnten Fragen stellen: die Anstaltsleitung ist verpflichtet, allen Zwischenfällen vorzubeugen.

Ein einziger giftiger Pilz verseucht das ganze Gericht, pflegt der Verwalter zu sagen. Man hat sich vorzusehen. Bes Verhalten könnte Schule machen; das ist zu bedenken. Schnorrer ist ein Anstifter, ein Aufwiegler, ein Fluchthelfer. Man hat keine Beweise dafür; man kann ihn nicht fassen. Die Erfahrung allein zählt; der Instinkt. Durch eine Kopfbewegung kann sich der Aufwiegler verraten; durch seine Art, einem ins Gesicht zu sehen, durch sein renitentes Schweigen.

Das kann man den Behördenmitgliedern nicht erklären. Sie verlangen Tatsachen, Zeugnisse. Eine gute Anstaltsleitung kennt Mittel und Wege, sich der unliebsamen Zöglinge zu entledigen.

Während die Gäste im Heim am Weihnachtstag ihren Imbiß einnehmen, packt Schnorrer im Schlafsaal der Familie Zwei seinen Koffer. Es ist kein Anstaltskoffer. Monique hat ihn aus dem Internat heimgebracht, einen einfachen Korb, einen Japankorb. Er ist praktisch. Er hat mehr Platz als ein gewöhnlicher Koffer. Wenn man ihn gepackt hat, werden zwei Lederriemen durch die Ösen gezogen und festgemacht.

Los, los! Schaltenbrand ist in Eile. Im Büro warten die Herren von der Schiffahrtsgesellschaft.

Schnorrer wird zum Arbeitseinsatz auf die Lastkähne kommen. Er geht mit Schaltenbrand über den Hof. Schaltenbrand stellt ihn den Herren vor.

Da ist der Neue, sagt er. Hier sind seine Personalakten. Der Schutzaufseher wird sich erst im April einschalten. Vorläufig ist die Anstalt für den Jungen verantwortlich.

Er wird keinen Fluchtversuch wagen, drei Monate vor seiner ordentlichen Entlassung. Ein Fluchtversuch würde ihm ein Jahr Zusatzstrafe eintragen, in Witzwil, das weiß er. Er ist nicht dumm, unser Schnorrer.
Wie, sagen Sie, ist sein Name?
José Claude Ledermann.
Und wie heißt der Schutzaufseher?
Hügli, glaube ich, sagt Schaltenbrand.
Ach, Eugen Hügli, in Bern!
Die Herren sind erfreut. Sie kennen Herrn Hügli; er ist in Bern ein angesehener Mann. Fürsprecher, sagen die Herren; nun leider doch fast ganz erblindet. Das war zu erwarten. Die ärztliche Kunst hat versagt. Es ist erstaunlich, was die Chirurgie heutzutage leistet; und doch gibt es immer wieder Fälle, in denen sie machtlos ist.
Schaltenbrand nickt. Er reicht den Herren die Papiere, die Fräulein Kämpf vorbereitet hat.
Es ist nur eine Formsache, sagen sie; wir haben mit Ihrem Herrn Verwalter das übliche Abkommen über den Arbeitseinsatz getroffen. José Claude Ledermann, ein komischer Name, nicht wahr?
Es ist ein Kreuz mit dem ungeschulten Personal. Wir liefern der Armee Sand und Kies zum Bunkerbau. Ohne uns wäre die Armee verloren. Und doch zieht sie unsere Leute zum Militärdienst ein. Wo bleibt da die Gerechtigkeit? Wenn wir kein geeignetes Personal bekommen, liegen die Flußbagger still.
Kann man irgend etwas gegen unsere Sozialleistungen sagen? Die Leute sind gut versichert, glauben Sie uns. Wir haben neue Schlafstellen geschaffen, Barackenhäuser und Anlegestellen. Die Fenster haben sogar Vorhänge. So wird heutzutage der Arbeiter verwöhnt.
Schaltenbrand hat Verständnis für die schwierige Lage der

Gesellschaft. Die Herren unterschreiben. Aus Biel kommt er also, der Neue.
Die Herren kennen Biel. Die Stadt gefällt ihnen nicht. Bern ist viel schöner. Bern hat die schönste Altstadt Europas. Nach dem Krieg werden die Touristen aus ganz Europa wieder nach Bern fahren. Die Brücken, die Brunnen, die Lauben! Biel hingegen ist ein großes Dorf. Jeder baut seine Häuser, wie es ihm paßt. Die Planung fehlt. Es gibt keine verbindlichen Richtlinien.
Eine Goldgräberstadt, sagten die Herren. Unsere Schiffe befahren den See. Wir haben Biel als westliche Endstation unserer Linie vorgesehen; jetzt sind wir gezwungen, auch den Zihl-Kanal in unsere Projekte einzubeziehen. Natürlich der See, räumen sie ein; eine Siedlung am See hat ihren eigenen Reiz, das ist nicht zu leugnen. Das Licht! Die Wärme! Aber welche Unordnung in dieser schönen Umgebung, dem See, den Jurahöhen! Leute, die nur dem Geld nachjagen, Spekulanten, die in jeder Krise zugrunde gehen, lauter Industrielle. Die Industrie ist unseriös.
Das haben die Berner entdeckt. Sie wählen krisensichere Berufe; sie werden Offiziere oder Beamte. Bern hat eine andere Geisteshaltung. Man spürt, daß die Stadt vor Jahrhunderten als Festung gegründet worden ist. An ihren Mauern prallt der fremde Einfluß ab. Sie läßt nur ein, was ihr nach langer Prüfung brauchbar erscheint. Bern hat eine Universität, Biel ein Bordell.
Die Herren sind auf dem laufenden. Keiner von ihnen hat die Universität in Bern besucht. Sie haben sich durch kaufmännische Berufe ins Direktorium hinaufgearbeitet. Eiserner Wille, Einsatzfreudigkeit, Energie, Phantasie; diesen Eigenschaften verdanken sie ihre heutige Sicherheit. Und noch immer ist das Ziel nicht erreicht. Das Kriegsende ist bedrohlich nahegerückt. Man wird die Entwick-

lung auf dem Kapitalmarkt sorgfältig verfolgen; eine Krise wird nicht ausbleiben; die Schiffahrt ist nach dem Krieg in Bundeshände zu legen. Entsprechende Verhandlungen sind im Gange. Nach dem Krieg wird die Güterverschiebung andere Wege gehen; das Kapital hat sich rechtzeitig zurückzuziehen oder einzuschalten. Der Straßenbau ist im Auge zu behalten; noch wichtiger hingegen ist die Schiene. Hier sind Unfälle so gut wie ausgeschlossen. Menschliches Versagen! Die Schuld an einem Eisenbahnunglück läßt sich immer feststellen; man kann auf den Verantwortlichen zurückgreifen. Man hat Verkehrspläne angelegt, man verfügt über ein Netz. Es hat seine neuralgischen Stellen, eingleisige Bahnlinien zumeist, seine geheimgehaltenen Sprengschächte und Manöverstrecken, seine Anschlüsse, Weichen und Kreuzungen. Neue Fahrpläne sind auszuarbeiten, die Zugfrequenzen werden festgelegt.
Die Herren werden sich wohl für die Schiene entscheiden. Sie haben alle Unterlagen zu prüfen. Wenn man ihnen glaubt, liegen sie nächtelang in Sorgen wach. Sollte man ihnen übelnehmen, daß sie deshalb zuweilen nach Biel fahren? In Biel vergnügt man sich besser als in Bern. Man geht mit einem Vertrauten; man ist vorsichtig.
Der neue Laufjunge kommt aus Biel. Die Herren kennen das Haus an der Marktgasse.
J. C. Ledermann, Gymnasiast, steht im Ausweis. Fräulein Kämpf führt eine Statistik über die Schulbildung der Zöglinge. Die Erziehungsdirektion legt Wert auf genaue Angaben. Die Jugendkriminalität nimmt in erschreckender Weise zu. Leute mit höherer Schulbildung scheinen anfälliger zu sein als Primarschüler.
Während der Feiertage bleibt der Junge in der Baracke, sagen die Herren zu Schaltenbrand. Ein paar Leute sind immer da. Wir setzen ihn erst nach Neujahr ein.

Schose ist einverstanden.
Er hat den Schrankschlüssel noch nicht abgegeben.
Er tastet nach der Schnur an seinem Hals. Er versucht, den Knoten zu lösen. Er holt das Messer aus seiner Tasche und zerschneidet den Knoten.
Schaltenbrand ist erschrocken.
Woher hast du ein Messer, Kerl? Gibs her, los, los!
Die Herren bitten um Nachsicht. Der Schiffer braucht ein Messer, das ist klar. Ein Messer ersetzt manches Werkzeug. Man hat die Werkzeugkiste nicht immer zur Hand.
Auf Wiedersehen also.
Plötzlich sind die Herren in Eile.
Draußen ist es dunkel; es hat nicht geschneit.
Grüne Weihnachten, weiße Ostern, sagt der Briefträger, wenn man ihn nach seiner Meinung fragt.
Der Nebel näßt die Straßen; er bindet die Kälte an den Boden. Am Tor schließt er die Laterne in eine regenbogenfarbige Mandel ein. Das Schild «FÜR UNBEFUGTE VERBOTEN» hat da, wo das Email gesprungen ist, schartige, vom Nebel betaute Ränder.
Die Schiffer haben bisher mit den Zöglingen aus der Anstalt gute Erfahrungen gemacht. Ihre Namen braucht man sich nicht zu merken. Jeder Laufjunge wird Moosmann gerufen.
Moosmann, wisch den Tisch ab, Moosmann, hast du meine Zeitung gesehen? Sing ein Lied, Moosmann.
Der Moosmann wird neues Bier bringen, sagen sie. Die leeren Bierflaschen liegen in einer Ecke. Die Schwerarbeit macht Durst. Man hat sich ans Bier gewöhnt. Man hat sich daran gewöhnt, am Vormittag vier oder fünf Flaschen Bier zu trinken. Nach dem Essen ist der Durst noch größer. Jetzt sind die Wirtschaften geschlossen. Man hat nicht vorgesorgt. Man hat nicht daran gedacht, sich für die

Weihnachtstage einen Vorrat anzulegen. Das Biertrinken ist eine Gewohnheit; man kann nicht von einem Tag auf den andern damit aufhören, nur weil man keine Arbeit hat.
Der Wirt scheint nicht auf die Gäste angewiesen zu sein; er feiert mit seiner Familie. Weihnachten ist ein Familienfest. Dieser Rummel! Schon vor einer Woche hat es angefangen: überall die Heilsarmee mit den Rotkreuzkesseln; auf allen Tischen Tannenzweige, Glaskugeln, Kerzen, die Postkarten mit dem Stahlhelm, Aktion Feldgrau. Dem einsamen Kameraden im Feld.
Wo soll ein Schiffer an Feiertagen in Ruhe sein Bier trinken? Eine verlorene Zeit, die Festzeit. Ein Schiffer weiß nicht, wohin er gehört. Er trifft die Kollegen nicht bei der Arbeit. Nicht einmal die Holzarbeiter stehen an der Anlagestelle. Wie soll er die Zeit totschlagen?
Der Steuermann hat gut lachen. Er hat sein Vergnügen daran, ein Schiff in der Flasche zu bauen. Wie gut seine Augen noch sind! Er hat Übung, das sieht man. Er baut das Schiff aus Zündhölzern. Sie werden zuerst in Leim gelegt und getrocknet; so verziehen sie sich nicht in der Feuchtigkeit; Kleinigkeiten, die man kennen muß. Der Moosmann hilft ihm; er hat schmale Hände. Er schneidet den Hölzchen die Schwefelköpfe ab und glättet die Kanten. Wenn alles weggeräumt ist, kann man Karten spielen. Der Moosmann schaut zu. Höchste Zeit, daß er mit Karten umzugehen lernt. Das Radio plärrt vor sich hin; besser, man stellt es ab.
Im Sommer ist es schön, Radio zu hören, am Fluß, auf dem Kahn, bei offenen Türen. Wenn man am Morgen erwacht, hat man vergessen, das Radio auszuschalten. Der Koch wird wütend.
Meine Batterien, sagt er. Ihr kauft mir in Biel neue Batterien, dafür werde ich sorgen.

Niemand widerspricht ihm, wozu auch? In Biel hat er seinen Zorn vergessen; so ist es im Sommer. Die Arbeit geht gut von der Hand; der Vorarbeiter ist zufrieden. Die Lademannschaft packt mit an, wenn die Kähne auflaufen.

Ho ruck, ho ruck; mit Stacheln wird das Boot vorangeschoben, und wenn es flott ist, trinkt man eine Flasche Bier. Der Steuermann winkt im Kabinenhaus: alles in Ordnung, legt euch in den Schatten, bis wir in Wangen einlaufen.

Flachs und Wein wachsen an den Ufern. Die Erntearbeiter singen. Die Flußbewohner sind fröhliche Leute. Erst im November kommt mit dem Niedrigwasser der Nebel. Er begräbt das Dorf. Ein Fremder findet sich nicht mehr zurecht. Die mit Sand und Kies beladenen Kähne liegen tagelang fest. Die Lademannschaft steht auf Deck und zeigt in den Nebel: da und da liegt das Wehr, dort ist das Kraftwerk. Die Männer sind streitsüchtig. Sie wärmen sich die klammgewordenen Hände am Kamin.

Wir liegen fest, sagt der Vorarbeiter.

Du merkst einfach alles, sagt der Koch.

Manchmal gibt es Schlägereien. Ein Verletzter wird zum Arzt gebracht. Er hat das Nasenbein gebrochen, er blutet an der Oberlippe, seine Augenbraue ist aufgeschlagen.

Was haben sie gemacht? sagt der Arzt. Er ist mißtrauisch. Er schreibt einen Bericht für die Versicherungsgesellschaft. Er entscheidet über die Arbeitsfähigkeit des Mannes.

Ausgeglitten, brummt der Schiffer. Die Planken sind wie Seife, Herr Doktor.

Bedingt arbeitsfähig, notiert der Arzt. Beschreiben Sie mir den Hergang des Unfalles.

Die Versicherungsgesellschaft verlangt genaue Angaben: Zeit, Ort, Verletzungen, die als außergewöhnlich anzusprechen sind.

Der Arzt schreibt: beim Plankenwischen mit dem Reisbesen ist der Patient unglücklich ausgeglitten, so daß folgender Befund vorliegt: Fraktur des Nasenbeins; eine leichte Comotio. Die Platzwunde über der linken Augenbraue mußte geklammert werden.
Die Gesellschaft benötigt die Angaben zur Risikoberechnung. Vielleicht wird sie im nächsten Jahre neue Tarife erstellen und die Prämienbefreiung während der Krankheitsdauer aufheben.
Haben Sie einen Zeugen?
Der Verletzte zerknüllt sein blutiges Taschentuch. Der Moosmann hat mir auf Deck geholfen; er hat den Unfall mitangesehen.
Der Moosmann wird geholt. Er unterschreibt den Bericht. Ihr lebt zu eng aufeinander, sagt der Arzt. Ihr habt zu wenig Platz für eure persönlichen Effekten. Wer hat meine Pfeife vom Tisch genommen? sagt ihr. Da habe ich sie eben hingelegt, und jetzt ist sie weg. Auf dem Tisch hat sie nichts verloren, sagt euer Nichtraucher, und schon reißt ihr einen Streit vom Zaun. Ich kenne euch besser, als ihr glaubt.
Der Verletzte bedankt sich für die Hilfe. Er wird eine Woche lang in der Baracke an der Anlegestelle wohnen; die Versicherungsgesellschaft kommt für seinen Lohn auf und bezahlt achtzig Prozent der Arzt- und Arzneikosten. Es gibt Anstalten, die für jeden Krankheitstag zusätzlich zwölf Franken bezahlen, wenn der Patient nach einer Invalidität von wenigstens zwei Monaten stirbt. Im Erlebensfall hingegen wird kein Krankengeld ausgerichtet.
Die Schiffer kennen ihre Versicherungen nicht.
Es wird schon alles in Ordnung kommen. Unsere Vorgesetzten haben eine Verantwortung zu tragen, die Bleichgesichter, die Bürohocker.

Wenn wir heiraten und den Beruf wechseln, werden wir ausbezahlt. In diesem Fall wird nur der Bundesbeitrag gestrichen. Wir heiraten im Winter, wenn die Schiffe festliegen, bis die rote Marke im Meßhaus sechs Punkte gestiegen ist.

Wir heiraten vor dem langen Regen.

Der Pavian spricht: Auch ein Mensch heiratet eine Frau, sagt der Steuermann.

Er ist in jungen Jahren weit herumgekommen. Er hat lange in Afrika gelebt. Das Sprichwort vom Pavian stammt aus Afrika, behauptet der Steuermann; es ist ein Togo-Sprichwort.

Wieder einer, der Streit sucht, sagt der Vorarbeiter. Was nur in euch gefahren ist, möchte ich wissen.

Dumm, wenn der Löffel zerbrochen und der Skorpion noch nicht tot ist, sagt der Steuermann. Auch ein Spruch aus Afrika. Und auch das ist gut, hört zu:

Der Zorn ist das Schamgefühl des alten Mannes.

Der Vorarbeiter gibt keine Antwort. Er steht am Fenster. Die Scheiben sind beschlagen. Die neuen Vorhänge sind schmutzig. Es ist heiß. Man sollte andere Öfen in die Baracken stellen. Nach Neujahr wird er dem Büro einen Brief schreiben.

Die Kanonenöfen müssen zu stark beheizt werden. Das Bettzeug trocknet nicht, wenn wir nicht jeden Tag heizen. Wäre es nicht möglich, elektrische Öfen anzuschaffen?

Laß es dir nicht anmerken, wenn du die Finger dessen zählst, der nur neun Finger hat, sagt der Steuermann.

Der Vorarbeiter hat das Fenster geöffnet. Der Nebel bildet Wirbel über der verlassenen Anlegestelle. Er kocht am Ufersaum. Es ist schon möglich, daß, wer sich im Nebel verläuft, im Kreis herumirrt. Der Vorarbeiter kann davon vielleicht an einem Versammlungsabend der Bibelgemeinde reden? Gescheite Leute würden dies und das dazu bemerken. Sie wissen viel; manchmal sind sie froh, wenn man ihnen durch ein Bild Gelegenheit gibt, sich zu äußern. Das Bild ist zu einfach; Erklärungen sind immer schwieriger zu formulieren als ein Bild.

Es gibt Leute auf den Kähnen, in den Wirtschaften, auf der Straße, denen das Reden schwerfällt. Sie sind nicht dumm; sie haben Mühe, einen Gedanken in Worte zu fassen. Der Vorarbeiter möchte sie in die Bibelgemeinde einladen. Dort wird der Schüchterne herzlich empfangen. Er wird durch sanfte Gewalt gezwungen, auf der Bühne von seinem Leben zu erzählen.

Meine Frau ist vor vier Jahren gestorben; sie heißt Frieda. Ich habe eine Tochter; sie wird von Friedas Eltern erzogen. Ich bekomme sie nur selten zu sehen; auf den Kähnen ist man immer unterwegs; dazu die Schichtarbeit. Am Vorarbeiter bleibt alles hängen; die Lademannschaft ist nicht zuverlässig.

Behalten Sie die Mütze auf, hat Prediger Schänzli in seinem Büro gesagt.

Vielleicht fällt Ihnen das Reden leichter, wenn Sie die Mütze nicht abnehmen.

Auf der Bühne stehen in Holzkübeln zwei Lorbeerbäume. Die Gesichter der Gemeinde im Saal sind hinter den Zweigen verborgen. Die Gemeinde lacht nicht über einen schüchternen Redner. Sie erhebt sich von den Bänken, wenn Prediger Schänzli für ihn betet. Der Mittelgang zwischen den beiden betenden Blöcken ist fleckig vom eingetrockneten Regenwasser.

Der Prophet Moses hatte eine schwere Zunge, sagt Prediger Schänzli. Dennoch ist er von Gott auserwählt worden Amen.

Die Schüchternen kommen in der Bibelgemeinde zu Wort.

Sie werden frei. Weshalb ist ihnen das Reden früher schwergefallen? Zu viele Worte gehen einem Schüchternen durch den Kopf. Er wird schwindlig von vielen Worten; sie verhindern einen klaren Gedanken. Er muß alle Worte aus seinem Kopf verdrängen, ehe er einen Satz anfängt. Fragen können ihm nützlich sein; eine Frage hilft ihm, seine Gedanken zu formulieren.

Wie spät mag es sein? Der Vorarbeiter beugt sich aus dem Fenster. Die Zeit ist an Nebeltagen nicht zu schätzen; es ist zwei Uhr, vier Uhr, Mittag vielleicht. Die Hausfrauen sind spät aufgestanden. Sie kochen ihren Angehörigen ein gutes Weihnachtsessen. Sie haben in den vergangenen Monaten Zucker und Mehl für diesen Tag zurückgelegt. Frieda wäre nicht anders gewesen, und seine Tochter, nein, an sie will der Vorarbeiter nicht denken.

Es wird wohl bald schneien. Die Kälte wird kommen, die Kähne dürfen nur noch halbe Last aufnehmen. Die automatische Regulierung der Motoren durch den Druck der Gegenströmung ist nicht mehr gewährleistet; der Heizer muß die Tourenzahl überwachen.

Die Arbeit am Fluß ist nicht leicht. Wie rasch ist ein Unfall geschehen. Der trockenen Kälte folgt Schnee; so ist es jedes Jahr. Der Nebel lichtet sich in den Nächten; Ufer und Häuserblöcke schweben über der Wasserlinie. Der Fluß steigt; das Nadelwehr ist wegen des Eisgangs geöffnet worden; die Kähne haben vor den Schleusen lange Wartezeiten. Mancher Schiffer möchte auf die Jagd gehen. Im Ufergehölz und auf dem gefrorenen Schwemmland sind in der dünnen Schneedecke die Spuren der Hasen auszumachen; sie laufen einer Senke entlang, kreuzen und vervielfachen sich nach allen Richtungen, führen zum Wasser hinunter oder in den Wald zurück.

Während der Wartezeit pirschen die Schiffer im Unter-

holz zwischen den Weidenbüschen nach einer Beute. Ende Januar finden sie Enten, Schwäne, Möwen und Bläßhühner, die über Nacht in den letzten offenen Wasserlöchern festgefroren sind.
Ende Januar werden auch die Staubecken geleert; im Februar schmilzt der Schnee im Landregen, und an den Anlegestellen werden Bretterstege gelegt. Das Wasser steigt, der Winter ist zu Ende.
Noch ist es nicht Frühling. Man muß Geduld haben. Man riecht den Rauch im Nebel. Man stellt sich das geschlossene Wehr vor, fünf Kilometer bergwärts: die aufgestapelten Stahlrohre am Ufer, die beiden ziegelroten Kamine, und drüben, jenseits der Geleisebrücke, die flachen Gebäude des Eisenwerks mit den Tag und Nacht flammenden Hochöfen.
Gefährlicher als jede Unfallgefahr ist das Warten; es ist das Schwierigste.
Die Schiffer sind nicht böse; das Warten ermüdet sie. Der Steuermann baut Schiffe in der Flasche. Er gibt dem Moosmann Anleitungen. Er hat sich beruhigt. Kein Streit, nein. Die Schiffe in der Flasche verkauft er einem Spielwarengeschäft in Biel. Er hat den Tisch mit Zeitungen belegt. In einer Ohrentasse ist Kaltleim aufgerührt; die Zündhölzer werden in Schachteln aufbewahrt. Der Steuermann ist mit Schose zufrieden. Manche Schiffsjungen verstehen sich nicht auf feine Arbeit. Sie haben keinen Sinn für Genauigkeit. So mußt dus machen, so und so.
Der Vorarbeiter schließt das Fenster. Er setzt sich unten an den Tisch. Hier ist das Licht schlecht. Der Vorarbeiter wird nach Neujahr der Gesellschaft einen höflichen Brief schreiben.
Im Winter sind die Fünfundsiebzig-Watt-Birnen zu schwach. Ich bitte um Zuweisung von drei Hundertfünfzig-Watt-Birnen.

Wie soll der Vorarbeiter der Gesellschaft klarmachen, daß die Unterkunftsräume der Besatzung hell und freundlich sein müssen?
Auf seine Briefe hat er noch nie eine Antwort bekommen.
Er spinnt ein bißchen, sagt die Mannschaft. Aber er ist ein guter Vorarbeiter, nicht einer von den Schreihälsen. Er legt Hand an, wo es nötig ist. Er steckt im selben Dreck wie wir.
Der Vorarbeiter holt seine Bibel aus dem Schrank. Er gibt sich Mühe, den Koch nicht zu wecken. Während er liest, macht er mit einem Bleistift Notizen an den Rand. Früher hat er den andern vorgelesen. Er hat mit leiser Stimme gelesen. Sie kümmern sich nicht um ihn.
Sie mischen ihre Karten, Herz ist Trumpf.
He, Moosmann, wasch den Schwamm aus!
Oder sie wollen wissen, wie es in der Anstalt zugeht. Was treibt ihr da oben? Wie bist du überhaupt unter die Räder gekommen?
Die alte Sache: zuerst bringt man nichts aus den Jungen heraus; aber plötzlich fangen sie doch an zu reden. Schnorrer sagt: Heute sind die Gäste oben.
Jeder Besuch, jede Entlassung, alles ist ihm vertraut.
Die Gäste kommen am Heiligen Abend. Nach dem Kirchgang beginnt in der Halle die Bescherung. Man steht in der gewohnten Ordnung; für die Gäste sind Stühle aus dem Speisesaal und aus der Küche geholt worden. Der Verwalter wirft die Zigarre weg, bevor er sich ans Klavier setzt. Die Frauen versuchen, die Lieder mitzusingen, Weihnachtslieder, die der Verwalter in alten Büchern findet, Lieder mit langen Strophen. Die Melodie kommt den Frauen bekannt vor; sie würden gerne mitsingen. Sie summen leise vor sich hin; sie haben das Lied zu Hause gesungen, als sie noch Kinder waren. Nach dem Gesang liest

die Hausmutter die Weihnachtsgeschichte vor. In der Bibel stecken viele Buchzeichen. Seit Jahren werden an den Festtagen immer dieselben Stellen vorgetragen; an Ostern, an Pfingsten, am Bettag, an Weihnachten. Die Hausmutter spricht zu leise. Die Gäste verstehen sie nicht.

Dann wird eine Schweigeminute eingelegt. Über der Totentafel hat Steinegger wieder den alten Kranz aus Strohblumen befestigt. Nun kann die Bescherung beginnen.

Rechtsumkehrt, ruft der Verwalter.

Steinegger und Schaltenbrand haben eine Kerze auf ihr Bambusrohr gesteckt; sie zünden die Lichter an, auf den obersten Ästen zuerst. Das Kerzenlicht spiegelt sich in den roten Äpfeln, auf dem Fliesenboden, in den Augen der Gäste. Schaltenbrand tritt zurück. Er überwacht während der Bescherung den Baum. Es kann vorkommen, daß eine Kerze in der Hitze schmilzt; Schaltenbrand greift ein, bevor ein Brand entsteht.

Inzwischen sind acht Zöglinge bestimmt worden. Sie holen die Körbe mit den Geschenken, Wäschekörbe, viereckig, aus Weiden geflochten und mit Henkeln versehen. Die Geschenke sind in festes, braunes Anstaltspapier verpackt. Jedes Jahr erhalten die Zöglinge von der Anstaltsleitung ein Hemd, zwei Paar Kniesocken und wollenes Unterzeug. Die Gäste bringen Säcke mit Nüssen und Mandarinen und für jeden Jungen eine Tafel Schokolade.

Die Pakete werden sogleich geöffnet; Papier und Schnüre legt man in die Körbe zurück. Das Papier wird sorgfältig gefaltet; die Knoten in den Schnüren werden mit der Hand gelöst.

Man hat keine Zeit zu verlieren; der Verwalter schaut auf die Uhr. Pünktlich um zehn gehen Gäste und Zöglinge zum gemeinsamen Essen in den Speisesaal. Für die Gäste sind in einer Ecke Tische gedeckt worden; die Zöglinge

nehmen ihre alten Plätze ein. Sie stellen sich hinter ihren Stuhl.
Aufrichten! ruft der Verwalter, und dann: Setzt euch!
Die Tischmannschaften holen die Schüsseln in der Küche. Der Hausvater hat die Aufsicht selbst übernommen. Um 23 Uhr 15 ist das Fest beendet; die Zöglinge sind müde. Sie haben zu rasch gegessen. Sie singen noch ein Lied; dann führt sie Schaltenbrand in ihre Unterkunft.
Mit dem Waschen nimmt man es an einem Festtag nicht genau; die Familien versammeln sich im Nachthemd vor den Schlafsälen. Jedes zweite Fenster wird geöffnet. Schaltenbrand bleibt an der Tür stehen, bis der letzte im Bett liegt.
Gute Nacht.
Gute Nacht.
Er löscht das Licht. Die Dunkelheit blendet, verglüht; sie duftet nach Kerzen.
Im Verwalterhaus geht das Fest weiter. Man hört die Gäste lachen; man kann einzelne Stimmen unterscheiden. Dann schläft man ein.
Am andern Tag reisen die Besucher ab. Die Zöglinge tragen Pakete zum Bahnhof. Der letzte Zug fährt am Weihnachtstag um sechs, ein Sonderzug.
Mit den Zügen kennt sich Schose aus. Er hat sich gerne am Bahnhof aufgehalten; Steinegger hat ihn oft mitgenommen.
Komm mit, hat er gesagt. Wir bringen Kartoffelsäcke zur Bahn.
Die Schienen sind blank und durch die Räder abgeschliffen. Sie machen das Land weit, zwei Schienenpaare, durch Eichenbalken verbunden und im Schotter verankert. Sie machen das Land flach. Ein Damm fängt den fallenden Hügel auf, die Brücke versinkt im Flußnebel. Alle Zöglinge auf dem Feld richten sich nach den Zügen; die Kirch-

turmuhr hört man draußen nur bei Ostwind; ohnehin vergißt man leicht, die Schläge zu zählen, aber man weiß, welche Züge Besuch bringen; man erkennt die Güterzüge an ihrer Art, die Fahrt vor der Brücke zu verlangsamen. Sie halten sich an einen Fahrplan, anders als die Kähne. Auf sie kann man nicht zählen. Nur Steinegger läßt sich durch ihr Sirenengeheul aus der Ruhe bringen. Er erschrickt und schaut auf die Uhr.

Die letzten Zeugen, nennt er die Schiffe. Die Leute auf dem Wasser halten zusammen, sagt er.

Er hat Freunde am Fluß. Mit dem Vorarbeiter redet er ein paar Worte Esperanto.

Die Schiffer suchen keinen Streit. Sie haben ihre Flasche Bier getrunken; sie lesen Zeitungen; sie beschäftigen sich mit den Stimmzetteln. Nach Neujahr findet eine Abstimmung statt. Der Vorarbeiter verrät nicht, wem er seine Stimme geben wird. Er hat sich unten an den Tisch gesetzt; er sitzt auf einem Hocker und blättert in der Bibel. Manchmal hält er inne; seine Lippen bewegen sich lautlos; sein rechter Zeigefinger unterstreicht eine Zeile; dann schreibt er mit Bleistift eine Notiz an den Rand.

Der Steuermann will etwas sagen; der Koch schläft. In der Baracke gibt es zweistöckige Pritschen; der Koch hat sein Lager in der dunkelsten Ecke aufgeschlagen. Er verschläft die Tage. Er hat sich in die schmutzigen Wolldekken eingerollt, er hat sein Radio unter dem Kopfkissen versteckt.

Schose schneidet Zündhölzer zurecht; die Arbeit gefällt ihm. Nicht jeder versteht es, mit dem Messer umzugehen. Kerr zum Beispiel hat sein Pfadermesser nie richtig gehandhabt. Beim Feuermachen ist er der letzte gewesen. Und Reubell: wie hat sich der Händler an der Eisengasse gewehrt, ihm eine Waffe zu verkaufen.

Wir dürfen Waffen nicht ohne Schein abgeben!
Solche Messer tragen bei uns die französischen Soldaten; es ist Krieg, hat Reubell geantwortet.
Er hat das Messer gekauft; es ist ein Stellmesser aus Stahl; es hat einen geriffelten Griff.
Be hat nie gewußt, wie man die Klinge stellt. Die Waffe aus der Tasche genommen, den Arm nach außen und nach vorn geschleudert: das hat er nie verstanden.
Schose hingegen hat es in Reubells Küche rasch gelernt. Das Messer wurde im Büchergestell zwischen den Atlanten aufbewahrt.
Mein Versteck, hatte Reubell immer gesagt. Daß du es niemandem verrätst.
Daran hat sich Schose gehalten. Er hat in den Verhandlungen geschwiegen.
Be hätte das Messer vielleicht auch brauchen können? Steinegger weiß, wo er Be erreichen kann. Er steht mit den Leuten am Fluß in Verbindung, mit den Schiffern, mit den Holzarbeitern, mit den jungen Lehrern, mit den Weinbauern. Manchmal fährt er an Sonntagen in den Jura.
Am Doubs ist er gewesen, sagt die Anstaltsleitung. Was hat er da oben zu tun? An der Grenze!
Grüß Gott, sagt Steinegger, wenn er ein Zimmer betritt. Alle andern sagen Guten Abend, nur der Vorarbeiter wiederholt das Grüß Gott. Er läßt die Bibel sinken, ohne sie zu schließen. Das Grüß Gott gefällt ihm besser als das Guten Abend. Er lächelt Steinegger zu.
Morgen gehts wieder los, sagt der Steuermann. Wir haben es satt, hier zu hocken.
So, morgen.
Eine Fracht Kies für die Münzer AG. Eine Woche bis nach Biel.
Es wird schneien.

Auch gut. Weißt du noch, die Kälte im vergangenen Winter? Minus zwölf, minus sechzehn Grad. Zeit genug, stillzusitzen und Schiffe zu bauen.
Das wiederholt sich nicht alle Jahre.
Der Steuermann greift nach der Flasche. Sie ist noch nicht in die Holzstützen eingepaßt. Mit beiden Händen hält er sie unters Licht.
Schau dirs an; nach einem neuen Modell gebaut.
Eine Brigg mit zwei querstehenden Segeln; Rahtakelung eben.
Du bist der einzige, mit dem man reden kann, sagt der Steuermann. Man zeigt dir ein Schiff, und du weißt, was los ist.
Ich komme wegen des Jungen, sagt Steinegger.
Der Steuermann sucht nach einem passenden Sprichwort; es fällt ihm keins ein.
Er legt die Flasche auf den Tisch zurück. Was kann man machen? sagt er.
Ist er gut aufgehoben?
Ja, bestimmt.
Steinegger hat Bier mitgebracht. Die Männer trinken reihum aus der Flasche.
Da, nimm, sagt der Steuermann zu Schose. Ein Schiffer trinkt Bier.
Laß ihn in Ruhe, sagt Steinegger. Der trinkt noch früh genug.
Die Männer lachen; Schnorrer lacht. Er setzt sich zu ihnen an den Tisch; sie machen Platz auf der Bank. In der Flasche ist ein Rest Bier.
Steinegger hat Post für Schose mitgebracht: Monique und die Mädchen schicken ein Paket, Kerr sendet Kartengrüße; Reubell hat einen Brief geschrieben.
Das Paket wird geöffnet; Schokolade, zwei Würste, Dörr-

früchte, eine Tube Kondensmilch. Plötzlich sitzt der Koch auch am Tisch.
Wenn ich Essen rieche, erwache ich von den Toten, sagt er. Gib mir dein Messer, Moosmann!
Um sechs Uhr hat Steinegger in der Anstalt zu tun. Bis um acht übernimmt er die Familie Eins in den Unterkunftsräumen; die Schiffer können zum Jaß nicht auf ihn zählen. Schose ist mit seiner Post beschäftigt.

Lieber Schose, schreibt Reubell. Erinnerst Du Dich noch an meine Blechvögel?
Man hört jetzt viel von deutschen Raketen reden. Nach dem Krieg gehe ich nach Amerika zum Raketenbau. Man hat mir eine Stelle angeboten; mehr kann ich darüber nicht sagen. Es tut mir leid, daß wir uns in Biel nicht mehr sehen werden. Wenn Du Ende April entlassen wirst, bin ich schon abgereist. Monique kennt meine Adresse. Solltest Du einmal in Not kommen, weiß sie, wo Du mich erreichst. Hier ist alles beim alten geblieben. Allerdings sind die Leute nicht mehr deutschfreundlich. Sie hören dies und das über Greueltaten. Sie bedauern die Entwicklung.
Hätten wir das gewußt, sagen sie, ja, dann!
Man bezahlt Höchstpreise für schwarze Camels und Lucky Strikes; aber das wirst Du ja von Dolores schon gehört haben.
Tatsächlich hat sich wenig geändert; die Straßen sollen breiter werden; man erwartet eine Krise nach dem Krieg. Schade um unsere Abfallplätze. Erinnerst Du Dich, wie wir auf den Halden nach Schrott gesucht haben? Die Schrebergärten werden bald verschwunden sein.
Im Gymnasium haben die Pfadfinder stark an Boden verloren; eine literarische Welle überschwemmt die Schule: man liest Kafka, Hemingway und ein paar andere.

So viel. Ich schreibe Dir einmal wieder. Aus Amerika. Ich werde drüben Militärdienst leisten: das Bürgerrecht erwerben.
Dein Reubell

Der Brief ist auf blaues Papier geschrieben. Reubell hat nie weißes Schreibpapier gehabt. In Biel kann man sein Papier nicht kaufen: es ist hellblau, und dunkelblau liniert. Woher hat er bloß das Papier, der Herr Reubell? In der ganzen Stadt ist es nicht aufzutreiben.
Monique hat es rasch entdeckt: Reubell verwendet Luftpostpapier; ein paar Mädchen im Sacré Cœur hatten auch welches. Schose legt den Brief zu seinem Messer unters Kopfkissen. Was in der Baracke herumliegt, gehört jedem; aber was unterm Kopfkissen liegt, wird von keinem Schiffer berührt; das ist ein ungeschriebenes Gesetz. Auch die Jasser scheinen es zu kennen. Sie kommen nach Feierabend in die Baracke zum Kartenspiel, Familienväter, die für eine oder für zwei Stunden frei sein wollen, Matrosen, Heizer, die Lademannschaft.
Ich bleibe nach dem Essen oben, hat Steinegger gesagt. Immer die neuen Gesichter! Wie schlecht meine Augen geworden sind. Und mein Rücken!
Manchmal hat man Mühe, Steineggers Ansichten zu begreifen. Er ist ein alter Mann; er ist oft allein.
Neue Leute, sagt er, Unbekannte! Sie entsteigen den dunklen Winkeln, den Dörfern, den fremden Städten; in welcher Frühschicht beschäftigt gewesen, aus einer Konservenfabrik davongelaufen, der Heizer im blauen Overall, der Matrose mit zwei Koffern, die Mannschaft, die ihre Habseligkeiten auf der Pritsche zurückläßt. Schon gut, du begreifst mich nicht.
Zurück an den Fluß. Zurück an den Fluß.

# 6

Wie früh heuer alles ist, sagen die Frauen. Man sieht es im Garten. Es ist ein besonderes Jahr, 1945. Es hat im März ins nackte Holz gedonnert; habt ihr das auch gehört?
Was ihr nicht sagt!
Ein Donnerschlag ins nackte Holz, bricht im August des Bauern Stolz!
Weshalb im August?
Die Hagelgewitter schlagen die Ernte kaputt.
Im März, das war ja schon vor einem Monat.
Wenn es im März donnert, gibt es im Mai starke Fröste.
Die Eisheiligen vernichten die Kirschblüte.
Im April sollte es regnen, sagen die Frauen. Man müßte mit unsicherem Wetter rechnen. Aber dies Jahr scheint die Sonne. Die Wege sind staubig. Am Flußufer stehen die Bäume im Blust.
Der Fluß wirft die Wärme an die Ufer zurück. Der Föhnwind weht in den Tälern; der Nebel erwärmt die Nächte.
Sogar in den Bergen ist es zu warm für April.
Die Frauen reden vom Hochwasser des Jahres 1896. Sie haben Zeit zu schwatzen. Die Gärten sind gedüngt; die Frühlingsarbeit ist beendet.
An den Hügeln werken die Rebbauern. Sie sehen den Schiffern zu, wie sie hinter den Schleusentoren verschwinden.
Manchmal winken die Mädchen mit ihren roten Kopftüchern. Der Frühling ist so, wie man ihn sich vorstellt: zartes Grün, brennendes Rot, tiefes Blau, leuchtendes Weiß.
Da ist es nicht schwer, sich auf ein Fest vorzubereiten; man erwartete den Waffenstillstand.

Das Fest soll im Mai stattfinden. Es wird in Dörfern und Städten gefeiert und einen ganzen Tag dauern, obwohl es in keinem Kalender vermerkt ist und sich nicht wiederholt.
Man muß die Gärten herrichten und Lampions in die Bäume hängen. Die Stadtarbeiter schmücken den Park mit Girlanden aus weißen und roten Glühbirnen. Sie reinigen das Bassin der Springbrunnen von Algen und Moos und installieren die Scheinwerfer. Sie setzen die Fahnenstangen den Straßen entlang. In der Zeitung erscheint ein Aufruf; die Bewohner werden gebeten, ihre Häuser zu beflaggen. Sie können sich eine Fahne mieten; die Miete beträgt pro Tag zwei Franken fünfzig Rappen. Manche besitzen eigene Fahnen; wo sind sie während des Krieges hingekommen? Man muß auf dem Estrich nachsehen! Vor dem Krieg hat man die Häuser beflaggt. Jetzt sollten die Fahnen wohl gewaschen werden, geflickt vielleicht. Die Mäuse fressen auch eingefärbte Stoffe.
Und wie steht es mit den Fahnenstangen? Sie werden geölt, gekittet, frisch bemalt. Auf den Plätzen arbeiten die Vereinshelfer; ein Rednerpodium wird gebaut. Marktfahrer hantieren an ihren Tischen. Karussell, die Raupenbahn, Schießbuden, das Riesenrad: alles ist da. Man beginnt früh genug mit den Vorbereitungen.
Zwar ist das Datum des Festes noch unbestimmt; doch die Gerüchte folgen dem Strom, verändern sich von Dorf zu Dorf, von Stadt zu Stadt. Besser, man macht sich früh genug ans Werk.
Bronzeplaketten mit drei Köpfen werden gestanzt, lächelnde Politikerköpfe im Profil. Die Metallplaketten werden auf hölzerne Brettchen geschraubt oder in einen Rahmen gespannt; das Publikum entscheidet sich wohl eher für die Brettchen. Man kann sie tragen oder an die Wand hängen, ganz nach Belieben.

Aber auch Feuerwerkskörper sind leicht herzustellen. Kein Fest ohne Feuerwerk. Die bedeutendste Fabrik für Sprengkörper liegt am Brienzer-See. Schose erinnert sich, Reubell hat es ihm gesagt.
Ein gefährliches Handwerk! Man kann nie wissen, ob es knallt. Es ist nicht immer die Unachtsamkeit der Arbeiter, die ein Unglück verursacht; ein Gewitter, ein Kurzschluß in der Leitung, was weiß ich.
Reubell hat Raketen gebaut, Leuchtkörper, bengalische Sonnen.
Schose denkt gern an Reubell zurück.
Der Kahn liegt im Freihafen vor der Stadt. Man wartet auf die Erlaubnis einzufahren, man erwartet den Lotsen des Seerettungsdienstes. Über dem Wasser liegt der Geruch von verwestem Fleisch; noch immer werden die Kalbshäute aus dem Schlachthaus nach Bern verschickt. Irgend jemand hat vor Typhus gewarnt; die Schiffer sitzen am Strand und sehen den Fischern zu, oder sie laufen mit ihren Eimern zum Trinkwasserhydranten.
Schnorrer auf Deck beobachtet den Heizer an der Pumpe. Ein Postbeamter geht auf ihn zu. Der Heizer nimmt die Post entgegen und kommt schräg über den Platz zur Ländte herunter. Die Gruppe an Land bildet sich um; Kinder spielen im Sand. Ihre Stimmen übertönen das Fauchen der Fördermaschine und die Pfiffe der Rangierlokomotiven.
Der Heizer bringt Briefe, keinen für Schose. Wenn Reubell schreibt, benützt er sein Luftpostpapier; der Umschlag trägt französische Wertzeichen und einen Stempel von Calais. Briefe aus dem Brandmoos hingegen werden bloß abgestempelt. Die Kantone bezahlen keine Gebühr für Drucksachen; der amtliche Stempel genügt.
Schnorrer hat vor zwei Wochen Nachricht von Brandmoos

erhalten. Er ist Ende April aus der Anstalt entlassen worden. Sein Schutzaufseher, Herr Fürsprecher Hügli in Bern, hat sich zu einem Besuch angesagt, ist aber kurz vor Schoses Entlassung erkrankt. Schnorrer hat den Auftrag erhalten, vorläufig seinen Dienst auf den Kähnen beizubehalten.

Du, mit deiner Post, sagt der Heizer. Worauf wartest du?

Der Heizer ist stolz auf sich. Er wird keine Post bekommen. Er schließt heute abend eine Lebensversicherung ab. Wer alle Risiken deckt, braucht sich vor der Zukunft nicht zu fürchten. Prämienbefreiung nach einem Unfall oder nach langer Krankheit, spätestens vom einundneunzigsten Tage an; Verdoppelung der Versicherungssumme nach einem tödlichen Unfall oder einer tödlichen Krankheit.

Der Versicherungsinspektor macht seine Kunden auf ihre Vorteile aufmerksam. Man geht friedlichen Zeiten entgegen; die Risiken werden kleiner; die Prämien sind erschwinglich; sie können auch in Krisenzeiten bezahlt werden.

Wie rasch ist ein Unfall passiert, sagt der Heizer. Besonders im Winter. Man hat Beispiele. Er studiert die Broschüre der Lebensversicherung. Der Inspektor hat sie ihm übergeben.

Wie es geschah! heißt ihr Titel. Die Arztberichte beginnen harmlos; aber man weiß schon, wie sie enden werden. Tatsachen, nichts als Tatsachen. Geschichten, wie sie das Leben schreibt, handschriftlich durch die Ärzteschaft verbürgt und durch Zeugen beglaubigt.

Der Inspektor sagt: Entschließen Sie sich früh genug zum Abschluß einer privaten Versicherung. Verschieben Sie es nicht.

Er hat die Verträge auf dem Tisch im Heizraum ausgebreitet.

Wo muß ich unterschreiben? fragt der Heizer.

Auch der Vorarbeiter läßt sich eine Police ausstellen.
Der Inspektor ist zufrieden. Er putzt die Brille mit dem Taschentuch. Das Karbidlicht blendet ihn.
Sie werden Ihren Schritt nicht bereuen. Jetzt sind Sie voll versichert, und für Ihre alten Tage haben Sie auch vorgesorgt; ich gratuliere Ihnen herzlich. Unsere Gesellschaft kennt keinen Zusammenbruch, keinen Neubeginn bei Null; wir scheuen kein Opfer!
Der Inspektor versteht es, die Männer zu überzeugen; er ist ein guter Redner, ein tüchtiger Mann; er glaubt an den Fortschritt.
Er wird aufs Deck begleitet. Vielleicht würde er den Weg im Dunkeln nicht finden? Das Brett, das den Aufbau mit der Quaimauer verbindet, ist nicht gesichert.
Sind Sie schwindelfrei?
Nun, ja, ich glaube doch.
Besser, ich gehe Ihnen voran.
Der Heizer befestigt ein Seil am Kamin. Er geht an Land, er zieht das Seilende nach, er befestigt es am Hydranten.
Der Inspektor folgt ihm vorsichtig.
Die Männer lachen vor sich hin: der Inspektor hat Glück; um zehn Uhr nachts kommt der Bergwind auf; bald wird der Kahn im Wellengang schwanken.
Die Bise.
Morgen haben wir einen schönen Tag.
Drüben, am Chasseral, brennt ein Feuer. Die Männer schnuppern. Der Rauch ist nicht wahrzunehmen.
Glocken, sagt einer. Hört ihr die Glocken? Dort oben gibt es keine Häuser, am Berg.
Auf einmal läuten die Glocken überall: in den Dörfern, in den Vororten, in der Stadt. Die Friedensfeier! Der Waffenstillstand! Das Fest! Die Leute rennen auf die Straße. Ist es auch wahr?

Die Frauen haben richtig getippt.
Das Fest hat wahrhaftig begonnen.
Es wird Unfälle geben.
Festzeiten sind für Versicherungsgesellschaften schlechte Zeiten. Der Versicherte trinkt Alkohol und ist nicht mehr zurechnungsfähig. Ein falscher Schritt im Gedränge, und das Unglück ist geschehen. Nicht jeder Versicherte ist trinkfest. Der Angetrunkene verleitet den Nüchternen zum Trinken, und der Betrunkene ist durstiger als der Nüchterne.
Der Inspektor kennt die Statistiken.
In der Schweiz gibt es zu viele Trinker und viele notleidende Trinkerfamilien. Frau und Kinder haben mit einem Trinkervater ein hartes Leben. Es ist nicht immer zu lindern. Viele Frauen brechen unter der seelischen Belastung zusammen. Das Kochgas müßte entgiftet werden; dann bliebe ihnen nur noch die Möglichkeit, sich zu ertränken. Immerhin, es ist statistisch erwiesen, daß nicht jede Frau, die unter dem offenen Gashahn einschläft, auch den Mut hätte, ins Wasser zu gehen.
In gewissen Kreisen wird eine Überdosis Schlaftabletten eingenommen; diese Art des Selbstmordes ist aber selten. Sie verlangt einen klaren Kopf, Zeit zur Vorbereitung und Beziehungen zu Ärzten oder Arzthelferinnen. Es gilt, in jedem Falle nüchtern zu bleiben. Der Inspektor kennt sich aus in Suicidfällen.
Man muß analytisch vorgehen, hat er während eines Vortrages erklärt. Verkaufen heißt, den Markt analysieren; unser Geschäft ist ein Geschäft mit dem Risiko; unsere zukunftsweisenden Maßnahmen stützen sich auf die Statistiken der vergangenen Jahre.
Die Delegierten haben seinen Ausführungen beigepflichtet.
Sie werden ihn als Chefinspektor des Seelandes bestätigen.

Er unterstützt die Abstinenzgesellschaften. Er hilft dem Blauen Kreuz und der Trinkerheilstätte Tannendorf durch jährliche Zuwendungen. Es müßten neue Gesetze geschaffen werden; die Alkoholsteuer ist massiv zu erhöhen; Betrunkene sollen sofort inhaftiert werden! Der Bund nützt seine Befugnisse nicht aus; er hat es in der Hand, den Alkoholmißbrauch einzudämmen. Man weiß, wie sich ein gutes Beispiel auswirkt; was der Bund energisch vorantreibt, hat die Unterstützung der Kantonalregierungen: Politik kommt ins Spiel.

Die Delegierten werden den Inspektor bitten, die ehrenvolle Wahl als Chefinspektor auf Ende des Jahres anzunehmen; er ist der bestausgewiesene Mann im Versicherungsgewerbe. Die Konkurrenz wird ihm Angebote unterbreiten; er wird sie in einem höflichen Schreiben zurückweisen. Wer würde jetzt nach Deutschland fahren? Deutschland ist erledigt. In der Schweiz lohnt sich die Arbeit.

Nach einem Fest muß man Zeitungsausschnitte und andere Belege sammeln; die Schäden werden berechnet und statistisch verwertet.

Der Inspektor steht am offenen Fenster seines Arbeitszimmers; er bewohnt ein Haus im Villenquartier, in der Nähe des Gymnasiums, an der Alpenstraße, auf halber Höhe am Berg. Die feiernde Stadt liegt zu seinen Füßen, eine zu laute Stadt.

Der Lärm erfaßt das Quartier, die Straße, das Nachbarhaus, selbst die eigene Villa.

Die Frau Inspektor zündet im Garten Kerzen an; ihre Kinder setzen sich mit einer brennenden Kerze auf die Schaukel. Sie haben den Inspektor am offenen und dunklen Fenster nicht entdeckt. Er tastet sich zum Schreibtisch zurück; er sieht die Leuchtzeiger seiner Uhr und dreht das Radio an.

Sie hören die Spätnachrichten, sagt der Sprecher im Studio Beromünster.

Man kennt seine Stimme; sie ist einem in den vergangenen Jahren vertraut geworden. Manchmal ist der Sprecher krank oder abwesend; sein Kollege liest die Nachrichten für ihn. Man hört nicht auf die mit fremder Stimme vorgetragenen Worte.

Die Nachrichten der schweizerischen Depeschenagentur, Ausland, sagt die vertraute Stimme.

Der Inspektor hat sich in seinen Armstuhl am Schreibtisch gesetzt. Er macht kein Licht; er spielt gedankenlos mit dem Briefbeschwerer, einer nackten, bronzenen Frau, dem Geschenk eines Geschäftspartners.

Eingeweihte Kreise erwarten für morgen früh die Unterzeichnung des Waffenstillstandsabkommens, sagt die vertraute Stimme.

Der Inspektor wundert sich nicht; das Fest müßte erst morgen beginnen; die Städte am Fluß haben ein anderes Zeitgefühl. Die Gerüchte folgen den Strömen, den Seen, den Flüssen.

Der Inspektor ist in den Bergen aufgewachsen; er wird am See nicht heimisch.

Er dreht das Radio ab. Seine Kinder machen einen Umzug durchs Haus. Wie laut ihre Stimmen sind.

Mami, er ist da, werden sie rufen. In seinem Zimmer ist er. Bist du müde, Paps?

Er steht leise auf, um die Tür abzuschließen; aber die Kinder stehen schon mit den brennenden Lampions auf der Schwelle. Sind sie nicht hübsch? sagt ihm seine Frau ins Ohr. Er ist verwirrt.

Doch, sie sind hübsch. Die Frau hat sich rote Lampions beschafft, rot, ganz ohne weiß. Das ist nicht leicht gewesen; sie hat in sechs Geschäften nachgefragt und schließ-

lich eine Karte geschrieben. Ein Verkäufer hat ihr die Adresse unter dem Ladentisch zugesteckt: Salon Ledermann, Marktgasse 73, Biel.
Die Frau Inspektor hat Geschmack.
Sie versteht es, mit ihrem Mann zu plaudern, während sie ins Wohnzimmer hinübergehen; sie fährt ihm mit ihrer Hand über die Stirn.
Da sind die Zeitungen, sagt sie. Ich bringe rasch die Kinder ins Bett. Nachher trinken wir Kaffee.
Sie ist neben ihn ans Fenster getreten.
Ein Delirium, Schatz, das Fest, eine Ekstase, der Friede. Sie lacht ihn an. Wunderbar ist es. Du wirst dir vor dem Einschlafen Wachspfropfen in die Ohren stecken, nicht wahr? Morgen arbeitet kein Mensch.
Die Frau Inspektor hat sich getäuscht. Auch am 8. Mai arbeiten die Lotsen. Die Schiffe müssen vom Auffanghafen zu den Freilagern gebracht werden, sogar wenn es, wie heute, keine Möglichkeit gibt, an der Ufermauer anzulegen.
Kleine Ruderboote sind von den Feiernden losgemacht worden. Sie schleppen die Leine nach; sie liegen tief im Wasser.
Auf den Bänken drängt sich johlend und singend die unrechtmäßige Besatzung. Die Flußkähne drosseln ihre Motoren und setzen Schlepp- und Rollanker. Sie pendeln sich mit Backbord-Schlagseite sachte in die Windrichtung ein, zweihundert Meter vom Ufer entfernt. Der Bergwind weht; Schoran nennen ihn die Bieler.
Auf dem Wasser treiben Hüte, Stangen, Ruder und die Zeitungen mit der einzigen Schlagzeile. Die Strömung erfaßt sie vor dem Trockendock. Jenseits des grünen Quais und des Kanals erscheint der Wasserstreifen dunkler vor den Molen.

Die Schiffer kommen einer nach dem andern an Deck, Heizer, Koch, Lademannschaft.
Das Ufer wimmelt von Menschen; sie fluten dem Quai entlang, stauen sich und werden vom Gegenstrom aufgesogen.
In bestimmten Intervallen gellen Pfiffe. Die Glocken läuten. Die Lautsprecher dröhnen übers Wasser: überall derselbe Sender. Heil dir Helvetia. Waffenstillstand, Friede.
In den Fenstern flattern die Fahnen. Luftballons streichen den Häusern entlang hangaufwärts, dann, vom Wind auseinandergerissen, einzeln, noch höher, bis sie überm Berg verschwunden sind. Auch die Glocken schwellen mit dem Wind an, die Glocken sind stärker als alles andere.
Vom Kahn aus betrachtet Schose die Mauern am Jura, die Mauern und die Glockentürme, Mauern, von winkenden Menschen besetzt; menschenbewehrte Zinnen und Türme, das Stadion. Den Grat säumen Mauertrümmer, die doppelten Tanksperren. Zur Seite hin und nach oben öffnen sich die weißgrünen Frühlingshügel. Das elektrische Netz verdichtet sich dort an der Transformatorenstelle, verzweigt sich in zwei Ebenen, einer steigenden und einer fallenden, ist mit Betonsockeln, mit Gefahrensignalen und mit rot aufflammenden Leuchtpunkten gekennzeichnet. Starkstrom: Tod durch Berühren.
Es ist ein schöner Gedanke, sich die Natur des elektrischen Verbundnetzes vorzustellen, hat Reubell einmal gesagt. Das Gewebe über dem Land, hat er gesagt, die Masten, die stummen und die sprechenden Drähte, die Kabel, die Unterbrecher-Relais und Transformatorenstationen, die Kraftwerke, die Dämme, die Wehre, die Stauseen, die Generatoren.
Wenn sich ein einziger Mann rasiert, ändert sich die Verteilung des Stromes, die Netzbelastung, während die Span-

nung aufrechterhalten wird. Sie ist nicht als ein vages Feld von Strömungen zu verstehen, sie hat immer eine Bedingung, die unter allen Umständen aufrechterhalten werden muß: 220 Volt.

Reubell ist in Calais. Auch in Calais hat das Fest begonnen. Die Arbeitnehmer haben ihre Arbeit um zehn Uhr morgens niedergelegt. Auf der Straße tanzen sie mit den Frauen ihrer Vorgesetzten. In den Fenstern flattern im kühlen Wind die Fahnen. In den Kirchen von Calais läuten die Glocken. Die Schüler der oberen Klassen fahren mit ihrem Rad durch die Straßen und sprengen mit glühenden Zigaretten Kinderballone in die Luft.

Der Versicherungsinspektor von Calais, Sachbearbeiter im Außendienst, arbeitet zu Hause; er findet keine Zeit, am Fest teilzunehmen. Er ist mit seinen Fragebogen im Rückstand.

Antragsteller: Reubell Jean-Pierre, auf Durchreise nach USA.

Haben Sie Ihre Eltern früh verloren? Leidet in Ihrer Familie jemand an Epilepsie? an Kreislaufstörungen? an Tuberkulose? Wenn ja, seit wann? Haben Sie Geschwister? Sind diese am Leben? Wenn nein, wann, wo und woran sind sie gestorben?

Der Versicherungsinspektor in Calais beantwortet die Fragen nicht wahrheitsgetreu; man wird ihm von der Zentrale in Paris eine Mahnung zukommen lassen. Der Inspektor hat Kopfschmerzen. Der Lärm hindert ihn an der Arbeit. Am Nachmittag soll es noch schlimmer kommen; die Bauern aus der Umgebung werden in die Stadt fahren; das Fest ist im Gange.

Wir gehen an Land, ruft der Heizer und schlägt mit der Faust auf den Tisch. Genug gewartet jetzt. Wer kommt mit?

Die Lademannschaft hat das Rettungsboot klargemacht. Der Steuermann kann sie nicht zurückhalten. Sogar der Vorarbeiter will nicht länger auf die Erlaubnis warten. Besser, man ist dabei, um ein Unglück zu verhüten.
He, Moosmann, auf gehts.
Schose tastet nach den Briefen in seiner Tasche. Er wird nicht mitgehen. Ob es zu Hause noch immer nach Mazout, nach Äpfeln und nach dem Eingemachten riecht? Und Dolores, die Taubstummen, Wolf?
Die Holzwände der Kabine sind warm. Schose setzt sich aufs Fensterbrett.
Schose versucht, sich zu erinnern; es hilft nichts: der Geruch des Karbolineums ist stärker. Es riecht nicht nach Heizöl. Es riecht nach Sonne, nach Karbolineum und nach Fisch.
Ein schöner Mainachmittag, wird man sagen. Ein wunderbarer Abend. Überall wogt das Fest, in Biel, in Calais, im Brandmoos, in London, in Prag, in New Orleans.
Auf den Plätzen schwellen die Stimmen zu Sprechchören an. Es ist Nacht geworden. Die Straßen sind taghell beleuchtet: Scheinwerfer, lichterflammende Fassaden, blaue Fontänen, Lichtbänder, Lichtfahnen, Lichtpiloten. Die Verdunkelung ist zu Ende. Der Krieg ist zu Ende; die Nachkriegszeit hat begonnen.
Noch in der Nacht kommt der Heizer zurück. Er stellt das Vorschaltgerät ein. Schose beobachtet ihn vom Steuerhaus aus, wie er in der offenen Luke hockt und an dem Apparat hantiert. In seinem Haar spiegelt sich das Licht. In den Metalleisten an der untersten Stufe wiederholt sich die Spiegelung, und im Rhythmus der Wellen wird sie vom Schatten des Mannes ausgelöscht.
Der Wind hat auf Nordost gedreht.
Noch in der Morgenfrühe des 9. Mai ist der See mit ausge-

brannten Feuerwerkskörpern bedeckt, und die Längsseite des Piers, an den der Kahn anlegt, die Quaimauern und die Uferanlagen haben einen Saum von Fruchtschalen und Konfetti.

Auf dem Pier steht ein Feuerwehr-Soldat mit der Spritze. Die Schlauchleitung füllt sich, der Soldat fängt die Bewegung auf; das Wasser zischt in zwei Stößen aus der Mündung. Es steigt in gleichmäßigem Strahl an, fächert sich zu einem weiten Bogen auf und treibt den Abfall vor sich her.

Die Arbeit beginnt um sieben Uhr. Man hat keine Veranlassung, sich auf den Lorbeeren auszuruhen. Erst jetzt wird sich zeigen, wer tüchtig ist.

Der Soldat tut seine Pflicht. Er reinigt Pier Nummer Drei. Ein Kahn löscht die Ladung. So etwas bringt einen Soldaten nicht aus der Ruhe. Befehl ist Befehl. Man hat schwere Zeiten hinter sich. Es ist schwer, die Freiheit als Soldat zu verteidigen; einem Offizier fällt manches leichter: er trägt eine hübsche Uniform; er versteht es besser, mit Mädchen umzugehen; er hilft dem Hauptmann, die Arbeiten der kommenden Wochen festzulegen.

Der Soldat kennt nur den Tagesbefehl. Das Warten ist das Schlimmste.

Wie kommt der Soldat dazu, so zu denken?

Was tut der Soldat? Er hat schon den Ersten Weltkrieg im Aktivdienst erlebt; er läßt sich nichts vormachen; er weiß Bescheid.

Die großen Worte zum Abschied stehen noch aus; gerade jetzt werden sie von einem Subalternoffizier schriftlich niedergelegt: das Vaterland, die Neutralität, unsere Aufgabe, die neue Generation, Dank.

Man wird auf dem Rasenplatz der Kaserne die Schlußinspektion abhalten. Man wird zum letztenmal die Fahne

grüßen, das Material abgeben, die drei rostfreien Nähnadeln vorweisen und dann entlassen werden.
Die Väter kehren zurück. Die Söhne kehren in den Schoß der Familie zurück. Sie haben einen schweren Tornister nach Hause zu tragen; die schmutzige Wäsche wird nicht mehr durch die Post befördert. Zu Hause wartet die Frau auf den Mann, die Kinder warten auf den Vater.
Er hat ihnen geschrieben: Endlich ist es soweit. Seit Jahren haben wir uns nach diesem Tag gesehnt.
Er nimmt von den Kameraden Abschied. Er trinkt hier ein Glas Bier, dort einen Grappa. Zuletzt steht er zu Hause in einer fremden Stube. Die Kinder weinen. Sie fürchten sich vor dem betrunkenen Soldaten. Worauf soll er jetzt noch warten?
Auch der Nachbar ist wieder da. Mit dem Nachbarn kann man reden. Er hat im Gotthardgebiet Dienst geleistet.
Streng wars bei uns nicht; Festungswache, Fliegerdienst. In der Nacht haben wir gefroren.
Ganz im Gegenteil, man hat uns erlaubt, die Unterstände zu heizen. Aber streng wars trotzdem. Unser Hauptmann, der Büchi aus Habkern, hat das Wort geprägt: ohne Disziplin ist die Moral zum Teufel. Zweihundertvierzig Diensttage; nach zweihundertvierzig Dienstagen haben wir wohl ein neues Hemd verdient. Hast du daran gedacht, im Zeughaus ein neues Hemd zu holen?
Die Männer duzen sich. Sie gehen in die Wirtschaft. Sie haben die Erlaubnis, ihre Uniform bis Sonntag, Mitternacht, zu tragen.
Der Soldat auf Pier Drei hat alles schon einmal erlebt, die Mobilmachung, den Fahneneid, die Entlassung. Er gehört zur Landsturmtruppe. Er kann erzählen, wie es nach der Entlassung zugeht.
Die Soldaten treffen sich schon am Samstag in der Wirt-

schaft. Sie singen Militärlieder. Sie haben die bösen Zeiten überstanden. Sie halten zusammen.
Ein Glas auf die fernen Kameraden!
Wirt, eine neue Runde für alle Kameraden!
Der Wirt ist erst vor kurzem hier eingezogen. Er hat Mühe, den Dialekt des Dorfes zu verstehen.
So geht es einem, sagen die Soldaten zueinander. Wir verteidigen das Vaterland, und inzwischen nehmen uns die Untauglichen den Arbeitsplatz weg.
Eine Flasche fällt auf den Boden und zerschellt. Die laute Stimme des neuen Wirts ärgert die Männer.
Einer wirft sein Bierglas an die Wand. Ein anderer schlägt die Scheiben ein.
Die Wirtin ist hinter der Theke verschwunden; sie ruft die Polizei. Die Soldaten sperren sie ins Clo. Sie legen den Wirt auf einen Tisch und verprügeln ihn mit ihren Ledergürteln. Sie demolieren das Mobiliar, sie plündern die Speisekammer, sie reißen die Lampen von der Decke.
Die Sache fängt harmlos an; aber man weiß schon, wie sie ausgeht. Die Polizei forscht nach, verhört, sammelt Material, erhebt, lädt vor, bittet zur Zeugenaussage, nimmt Kenntnis, stellt Haftbefehle aus.
Der Soldat auf Pier Drei läßt sich nichts vormachen. Er hat die großen Worte zur Entlassung schon einmal gehört.
Fragt ihn nach seiner Meinung!
Es sind die andern, die Drückeberger, die zu Hause geblieben sind: die haben sich verändert, nicht die Soldaten draußen.
Ein Soldat wird nicht nach seiner Meinung gefragt.
Hat einer etwas zu bemerken wegen Verpflegung oder Sold? fragt der Furier.
Man hat mit Ja oder mit Nein zu antworten. Dienstliche

Unterredungen werden mit aufgesetztem Stahlhelm geführt.
Man hat sich daran gewöhnt. Man handelt nur auf Befehl. Man hat keine Verantwortung zu tragen. Man untersteht dem Dienstreglement.
Erst nach der Entlassung ist jeder wieder auf sich selbst gestellt. Man meldet sich auf dem Arbeitsamt der Stadt, man studiert den Annoncenteil des Tagblattes. Wie man hört, findet ein gelernter Handwerker mit Leichtigkeit eine Stellung, Krise hin oder her.
Der Soldat auf Pier Drei hat seine Erfahrungen gemacht. Nach dem Ersten Weltkrieg ist er vier Jahre arbeitslos gewesen. Er weiß: die Leute auf dem Arbeitsamt geben ausweichende Antworten.
Sie werden bald von uns hören, heißt es. Wir prüfen Ihr Angebot.
Eine unter Chiffre gemachte Offerte wird nicht beantwortet. So war es das letzte Mal.
Man läßt sich nicht wieder zum Narren halten.
Man bleibt als Krankenwärter beim Militär. Die Militärkrankenwärter bekommen neue Uniformen nach amerikanischem Schnitt; dazu eine Schirmmütze. Man hat festen Lohn, saubere Wäsche und Gratisunterkunft.
Der Landsturmsoldat gehört zum Feuerwehrbataillon III/25. An diesem Morgen, dem 9. Mai 1945, hat er den Befehl erhalten, Pier Drei von den Überbleibseln der Waffenstillstands-Feierlichkeiten zu säubern. Die Schlauchleitung vibriert in seinen Armen. Der Asphalt glänzt schwarz.
Leitung acht, Wasser! wiederholt der Soldat.
Leutnant Baumann ist der Tagesoffizier.
Morgen wird es regnen, hat er gesagt. Bestimmt wird es regnen.

Wer hätte gestern gedacht, daß er recht haben könnte? Es regnet wirklich. Die nassen Jahre sind nicht die schlechtesten; auf die Bauern darf man nicht hören. Sie sind nie zufrieden. Sie halten ihre Kirschenernte schon beim ersten Frost für verloren; der Staat hat den Schaden zu tragen. Die staatliche Versicherung soll für alles aufkommen.
Auch die Frauen sagen es: Ein Glück, daß wir nicht mehr auf die Bauern angewiesen sind. Die Grenzen werden geöffnet. Die Rationierung kann nicht mehr lange dauern. Die Bauern werden sich an die neuen Zustände gewöhnen. Sie müssen konkurrenzfähig bleiben. Die Transport-, die Konservierungs-, die Verkaufsmethoden: eine neue Zeit hat begonnen.
Tatsächlich setzt Ende Mai die Schneeschmelze ein. Immer neue Tiefdruckgebiete werden nach dem Kontinent gesteuert; die Monsunwinde bringen keine Veränderung. In den Lokalblättern ist von Überschwemmungen die Rede. Jahrzahlen werden genannt; der Redaktor weiß von einer Mückenplage [anno 1789] zu berichten, er setzt sich mit vielen Leserzuschriften auseinander. Man räumt ihm eine Spalte auf der ersten Seite ein.
Der Krieg hat das Wetter nicht beeinflußt. Von einer derartigen Beeinflussung kann nicht die Rede sein; sie ist einfach lächerlich. Der anhaltende Föhn bringt den Schnee in den Bergen zum schmelzen; dazu kommen die reichlichen Regenfälle. Von heute an werden wir an dieser Stelle täglich über den Wasserstand des Bieler Sees berichten.
Gewisse kirchliche Kreise versuchen, die Schlechtwetterperiode als Gericht Gottes hinzustellen. Wir warnen die Rechtgläubigen vor solchen Irrlehren. Zu allen Zeiten haben klerikale Eiferer und verantwortungslose Panikmacher aus Ohnmacht und verständlicher Angst Kapital geschlagen. Ohne voreilige Schlüsse ziehen zu wollen, dürfen wir

feststellen, daß unsere Schweiz heil aus dem schrecklichen Kriegsgeschehen hervorgegangen ist. Die innere Ordnung eines Landes wird in Friedenszeiten und ohne Druck von außen schwieriger aufrechtzuerhalten sein. Wehren wir den Anfängen!

Im Juni regnet es nicht mehr. Der See hat die Plätze überschwemmt. Gebüsche, Pappeln und Weiden ragen aus dem Wasser; die Blumenuhr ist verschwunden. Täglich rückt die Feuerwehr aus, um Menschen zu retten und Keller leerzupumpen. Das Wasser sinkt nur langsam.

Erstmals tritt der ehrliche Finder auf. Guten Tag, ehrlicher Finder. Er sammelt Strandgut an den Quais. Er beobachtet die Windrichtung und ist im rechten Augenblick zur Stelle. Die Kisten mit den ertrunkenen Kaninchen läßt er liegen. Zuweilen steigt er mit seinen Fischerstiefeln ins Wasser. Am Abend bringt er seine Beute ins Fundbüro.

Mit dem ehrlichen Finder erscheint die eidgenössische Schätzungskommission. Die Schäden sind jetzt übersehbar, die Zerstörungen in den Gärten dürfen ermittelt und offiziell geschätzt werden. Ein Bericht an die Versicherungskommission wird verfaßt; man spricht in der Eidgenossenschaft von Katastrophengebieten.

Warum gerade unsere Gärten? fragen die Frauen. Heuer war alles so früh. Womit haben wir das Unglück verdient? Sie sind nicht kleinzukriegen. Sie machen sich an die Arbeit, am Samstag, nach Feierabend. Sie sind fleißig, sie können Unordnung und Schmutz nicht leiden. In hölzernen Kübeln wird Erde herbeigetragen; die Beete müssen hergerichtet werden. Neue Wege werden angelegt; noch ist es für eine Nachsaat nicht zu spät. Auch Blumen werden gezogen. Ein Garten ohne Blumen gefällt den Frauen nicht.

Man kann den Staat nicht für alles verantwortlich machen.

Die Frauen haben in den vergangenen Jahren gelernt, wie man eine Arbeit anpackt. Ihre Männer schauen zu.
Kann ich helfen? fragen sie.
Sie sind noch müde, wie man sieht. Sie sollen sich erst einmal vom Militärdienst erholen. Die Frauen ziehen es vor, ihre Hausarbeiten allein zu erledigen.
Später vielleicht, sagen sie. Du könntest den schweren Korb auf den Estrich tragen; willst du die nasse Wäsche holen?
Laß dir Zeit, sagen sie. Wenn deine eigenen Sachen in Ordnung kommen, bin ich zufrieden.
Und wirklich ergeben sich nach und nach Abmachungen, Verpflichtungen, Aufgaben; Verträge werden unterschrieben, Urkunden ausgestellt, Anstellungsverhältnisse geregelt, Partnerschaften bilden sich; schon spürt man die neue Konkurrenz.
Habt ihr etwa den Wagen heute morgen gesehen? sagt der Lebensmittelhändler zu den Frauen.
Es ist der Verkaufswagen einer unbekannten Lebensmittelfirma. Migros, heißt sie. Eine Frechheit, mit dem Wagen durch die Straßen zu fahren und seine Ware wie ein Hausierer anzubieten. Man muß sich an der richtigen Stelle beschweren.
Er schreibt dem Redaktor der Tageszeitung einen Leserbrief, in dem er auf die Machenschaften der Verkaufswagenleiter hinweist.
Nachkriegsgangster, lautet die Überschrift.
Der Redaktor schreibt: Die rechtlichen Grundlagen, um einen Warenverkauf durch fliegende Händler zu unterbinden, fehlen bis zur Stunde. Es gilt, die Interessen des Mittelstandes und der Bauernschaft wachsam zu verteidigen, haben doch gerade diese beiden Stände unserer Schweiz ein Ausharren in schweren Jahren ermöglicht.

Die Frauen sehen es anders. Sie lesen die Zeitung am Mittagstisch. Sie sind neugierig. Schade, daß der Lebensmittelwagen noch nicht in ihr Quartier gekommen ist.
Man muß erst einmal die Preise vergleichen, sagen sie. Die Männer haben gut reden. Was versteht ein Mann vom Einkaufen? Dieser Zeitungsschreiber sitzt in seinem Büro und verfaßt einen Artikel; er läßt eben die verschiedenen Ansichten zu Wort kommen. Er hat Rücksicht auf seine Partei zu nehmen. Er ist nicht frei.
Die Frauen lächeln sich zu.
Man muß nur hören, wie sie plötzlich reden! Dolores, Madame, die Verwalterin, Frau Steinegger, die Inspektorin, die Frau Redaktor und die Soldatenfrauen: sie haben sich ein Mitspracherecht verschafft.
Nur am Fluß scheint alles den gewohnten Gang zu gehen. Hier verzögert sich der Stillstand und der Einbruch von etwas Neuem. Der Fluß gleicht die Gegensätze aus. Er verhindert die Erstarrung und hemmt die zu rasche Entwicklung. Aber der Fluß stirbt.
Schnorrers Kahn liegt an der Schleuse Süd, zehn Kilometer vom Dorf Lengnau entfernt, sechzehn Kilometer unterhalb der Stauseen. Türen und Fenster des Heizraumes stehen offen; die Schiffer jassen. Schose hat die Fenster geöffnet. Er beobachtet den Fluß. Die Dämmerung über dem Wasser verdichtet sich dort, wo das flache Land beginnt. Die Wolken scheinen im Westen zu schmelzen.
Die Kabel über der Schleuse sind straff gespannt. Sie werden zwischen den Stahlwanten in ein Rohr gefaßt, fächern sich in der Station auf, brechen sich vielfach in den Wellen unter den Brückenbogen, bewegen sich drüben am Waldrand von Mast zu Mast, verbinden und kreuzen sich mit anderen Kabeln, unterteilen und verknüpfen die Teile, wachsen in die Mitte hinein, in die Senke, in der die Stadt

vermutet werden kann, noch bevor sie sich durch ihren Lichthelm verrät.

Im Schleusenhaus arbeiten die Rollwinden und Flaschenzüge; sie werden automatisch durch die gestaute Wassermenge reguliert. Die kleinen Explosionen sind zu hören, wenn in den Unterbrechern der Stromkreis geschlossen wird.

Ein Schilfgürtel umfaßt jetzt das ganze Ufer. Die Böschungen sind unterhöhlt; von Zeit zu Zeit stürzen sie ein. Das Wasser verfängt sich im Wurzelwerk der Gebüsche und schwemmt die Erde ab.

In den Häusern brennen Lichter. Der Nachtstrom ist billiger als der Tagstrom. Der Wind wogt über dem Wasser und bringt einen Geruch von fernen Gewittern mit.

Dem Wind entkommen, den Wäldern entstiegen, auf unbekannten Schlachtfeldern flügge geworden, tauchen die Krähen auf. Wer hätte sie im August erwartet? Sie ziehen vorüber, eine dunkle Wolke, ein an- und abschwellendes Rauschen von Flügeln.

Die Schiffer erschrecken.

Was ist los? Krähen im August? Das hats noch nie gegeben.

Vielleicht ist nur ein Schwarm von Deutschland hergeflogen?

Sie riechen die Saatkartoffeln, sagt der Heizer. Krähen haben einen feinen Geruchsinn. In unserem Dorf wurden die Krähen abgeschossen. Damals war ich ein Junge. Der Förster hat zwanzig Rappen für ein Krähennest bezahlt und einen Zehner für jedes Ei.

Der mit seinen Jugenderinnerungen. Der Steuermann flucht.

Wir haben zu Hause die Krähen gebraten, und heute werden sie in zoologischen Gärten gehalten. Da soll einer die

Welt noch verstehen. Morgen kannst du alles in der Zeitung lesen. Um welche Tiere es sich handelt, woher sie kommen, wohin sie fliegen, alles.

Die Zeitung erscheint abends.

Um vier Uhr ist Redaktionsschluß; es gilt, keine Zeit zu verlieren. In einer kleinen Stadt verfügt man nicht über die notwendigen Fachkräfte. Nächstens soll ein Fernschreiber eingerichtet werden. Bis man auf Agenturmeldungen zurückgreifen kann, behilft man sich mit Korrespondenten. Der Redaktor hat Angst vor Fehlurteilen. Schon haben gewisse Gruppen versucht, einen Druck auf die Bevölkerung auszuüben.

Wiederum, schreibt der Redaktor, müssen kirchliche Kreise zurechtgewiesen werden. Es ist absurd, die Invasion der Krähen als Geißel Gottes ansehen zu wollen. Wir leben nicht mehr im Ägypten der zehn Plagen. Gerade jetzt, wo eine bessere Welt aufgebaut wird, müssen wir uns davor hüten, in einen lähmenden Aberglauben zurückzufallen. Wer guten Willens ist, findet für jedes Phänomen eine vernünftige Erklärung.

Die Frauen lesen die Zeitung nach dem Essen. Sie treffen sich auf der Straße.

Unsere Männer, sagen sie, und schütteln den Kopf.

Ein Mann hat es nicht leicht; er schlägt sich mit allen Problemen herum. Er muß Erklärungen finden, will er wissen, was los ist. Keine Frage darf offen bleiben. Ein Mann bleibt halt immer ein Junge, ein hilfloser, kleiner, liebenswerter Junge.

Wenn man den Schiffern glauben müßte, wo käme man da hin? Sie versuchen, sich wichtig zu machen. Sie haben auf dem Fluß keine Arbeit mehr. Die Anlegestellen zerfallen. Die Baracken am Ufer stehen leer.

Die Schiffer erzählen Märchen. Wenn es nach ihnen ginge,

gäbe es keine Ruhe auf der Welt. Sie kennen sogar die Namen der japanischen Städte.

Sie tun so, als hätten sie die Krähen wirklich gesehen.

In der Senke zwischen den Hügeln und dem Fluß äsen die Vögel. Sie erfüllen die Luft mit ihrem Geschrei; sie sind im Schilf. Nur ein Knüppeldamm trennt sie von den Menschen.

Von weither kommen Reporter und Radioleute.

Sie fragen uns nach den Krähen. Wir wissen Bescheid. In der Nacht fallen neue Schwärme ein und besetzen das Niemandsland. Die Menschen fliehen in die umliegenden Dörfer, nach Täfels und nach Brockwil.

Eine spontane Hilfsbereitschaft erfaßt das Land; Eisenbahnzüge bringen notlindernde Geschenke an ihren Bestimmungsort; Gemeinschaftsküchen werden eingerichtet.

Ein Fotograf hat seinen Gehilfen in ein Krähenkostüm gesteckt; wer will, kann sich unter seinen Samtflügeln abbilden lassen. Der Erlös wird den Vertriebenen zukommen.

Truppen werden aufgeboten; die Armee greift ein. Die Vögel kommen über den Fluß, fangen den ersten Geschoßhagel auf, drehen ab und kehren in neuen Schwärmen zurück. Wie man hört, sind auch Krähen aus Japan dabei, kleine, graue Vögel.

Die Sonne wirft einen Schatten in den Staub; warum regnet es nicht?

Die Sonne schwimmt übergroß in ihrem grünen Hof.

Wie soll das weitergehen?

Die Schiffer sind nie um eine Antwort verlegen: echte Garnspinner, die Männer auf dem Fluß! Vielleicht langweilen sie sich bei ihrem eintönigen Leben, möchten sich wichtig machen. Sie behaupten, mehr gesehen zu haben als andere. Die Schiffsleute sagen, es sei etwas Unwiderrufliches geschehen.

Die Bahnen der Zugvögel sind in diesem Monat August des Jahres 1945 durcheinander geraten.
Nun, weshalb nicht? Eines Morgens sammeln sich die Vögel doch wieder, ziehen unschlüssig zwei Kreise und fallen auf den Boden zurück. Sie sterben, sie schreien in den Feldern. Das Gewicht des Schnabels zieht ihren Kopf zur Erde.
Die Frauen lachen.
So sind die Männer, wenn sie nicht arbeiten. Tagediebe erzählen sich Geschichten. Haben sie nichts Besseres zu tun? Sie könnten sich nützlich machen; ihr Geschwätz geht uns auf die Nerven.
Die Faulenzer haben unsere Zeit nicht verstanden; unsere Zeit verlangt Männer mit Tatkraft und Ausdauer. Heute ist dem Tüchtigen alles möglich. Seht uns an!
Wir sind den Männern gleichgestellt. Ihre Geschichten kümmern uns nicht. Wir trinken nicht, wir arbeiten. Wir leben länger als die Männer. Wir haben gelernt, das Leben zu meistern.
Die Welt gefällt uns, wie sie ist.
Die Männer fragen uns um Rat, wenn sie nicht weiter wissen.
Was haltet ihr vom Fluß? fragen sie uns. Seht nur, wie er stirbt. Die Dämme werden nicht ordentlich instand gehalten, die Lagerhütten zerfallen und die Anlegestellen.
Davon verstehen wir zu wenig. So schlimm ist es bestimmt nicht!
Eifrig unterbrechen sie uns.
Der Fluß ist schon tot. Da helfen keine Lügen. Wir haben Beweise. Das müßt ihr doch einsehen. Der Fluß ist erledigt.
Ja, ja, sagen wir.

# 7

Sommerende. Die Ebene liegt im Dunst. Der Rauch der Hochkamine schlägt sich über den Dörfern nieder. Am Bahndamm flimmert die Luft. Schose, der Dammgänger, friert in der Hitze.

Der Fluß zieht sich träge durchs Land. Seine Ufer sind verschlammt.

Der Sommer hat die Gebirge ausgelaugt. Aus den Fluten der Stauseen steigen die Ruinen der unter Wasser gesetzten Hütten. In der Trockenzeit, während des Niedrigwassers, verlandet das Flußbett. Die Bucht ist ein paar Wochen lang mit Fluggräsern, mit Weiden- und Erlenborsten bedeckt. Wer in der Anstalt gelebt hat, vergißt die alten Verstecke nicht. Die Inseln gehören den Halbwüchsigen. Sie kommen aus den Dörfern zum Fluß herab, allein, zu zweit, in Gruppen. Sie zünden ein Feuer an, kauen an einem Strohhalm und schauen übers Wasser. Sie rauchen die erste Zigarette, reden von Mädchen, sie beobachten einen Trinker.

Seit einer Woche kommt er jeden Abend; er liegt immer am selben Platz zwischen den Weidenstrünken und dem Schwemmholz, das ein Hochwasser vor Jahren hier zurückgelassen hat. Er kommt, wenn die Sonne tief steht. Er ist jung. Wenn er schläft, hat er die Flasche neben sich liegen. Ist er wach, beobachtet er den Fluß. Unsichtbare Uferfeuer schwelen; der Rauch liegt über dem Wasser; die Luft ist mit Gerüchen gesättigt. Aus der nebligen Ebene ragt die Jurakette hervor.

Der junge Trinker verbringt die noch warmen Nächte im Schilf.

Eines Abends wirft er etwas weg, ein Messer. Er möchte

den ehrlichen Finder warnen. Das Messer hat einen Griff aus geriffeltem Stahl. Sei vorsichtig, ehrlicher Finder! Keiner ist da und zeigt dir, wie man die Klinge stellt. Die Feder liegt vorn am Heft, du spürst sie kaum. Es ist ein Wurfmesser, verstehst du? Wenn du das Messer noch vor dem Winter entdeckst, da, in dem trockenen Schlamm, wirst du keine Schwierigkeiten damit haben. Rhodium-Schutz, steht auf der Klinge. Wer weiß, wie lange die Schneide scharf bleibt. Gewiß wird Rost den Griff bald anfressen und den Auslösemechanismus unbrauchbar machen.

Ehrlicher Finder, vielleicht ist deine Freundin Blumenverkäuferin? Vielleicht benützt sie das Messer zum Blumenschneiden? Bevor sie die Rosen in ein Seidenpapier einwickelt, besprüht sie sie mit Wasser. Weshalb tut sie das? Viel Glück, ehrlicher Finder! Viel Glück!

Schnorrer, der junge Trinker, liegt wach im Ried. Sucht man ihn schon? Er hat auf dem Kahn einen Brief der Anstaltsleitung bekommen. Er hat den Befehl erhalten, sich im Brandmoos einzufinden. Sein Schutzaufseher, Fürsprecher Hügli aus Bern hat den Brief unterzeichnet.

Schose wird im Brandmoos erwartet. Herr Hügli hat sich wieder erholt; nun wird er sich um seine Mündel kümmern. Die Burschen sind lange genug unbeaufsichtigt geblieben.

Morgen früh stelle ich mich, sagt Schose. Das Wetter bleibt schön, die Sonne wird über dem Turm stehen, wenn ich zurückkomme. Ich bin ein Rückwanderer, Schose, der Schnorrer, der Moosmann.

Das hat er schon gestern gesagt. Er weiß, was ihn in der Anstalt erwartet.

Bes Kastanienbaum trägt schwer an seinen Früchten. Das Tor ist unverschlossen, der Hof neu bekiest und leer. Man kann nicht hoffen, die Sachen so anzutreffen, wie man sie verlassen hat. Man ist verändert. Man sieht alles mit andern Augen.

Der junge Trinker legt sich zurück. Die Flasche ist noch nicht leer.

Morgen werde ich hingehen. Die Mauern halten die Wärme im Hof bis zum frühen Morgen. Ich muß auf die Hitze vorbereitet sein. Es ist Nachmittag, wenn ich den Hof betrete. Die Jungen arbeiten auf den Feldern. Schaltenbrand hat ihnen ein Bad im Weiher versprochen. Nicht alle können schwimmen. Um diese Zeit rasiert sich der Verwalter. Ich stehe am Fenster und sehe ihn im Halbdunkel vor dem Wandspiegel. Er seift sein Gesicht ein; er führt die Klinge mit der linken Hand. Er nickt mit dem Kopf: Schose ist da. Ein Ehemaliger ist zurückgekommen. Unsere Befehle gelten immer noch. Für ein paar Tage dürfen sich die Rückwanderer am Anblick der Mauer ausruhen, sich von der Weite und Unfreiheit einer nicht umfriedeten Welt erholen.

Sie betreten die Terrasse, sie setzen sich auf eine Bank vor dem Haus, sie sehen sich nach den neuen Maschinen um. Die Schafhütte ist noch baufälliger geworden; aber die Futtersäcke liegen auf hölzernen Podesten und sind vor Nässe geschützt. Die Rückwanderer finden sich nicht mehr zurecht.

Bes Unterschlupf ist noch da, zwischen den großen Fässern in der Schafhütte.

Schose tastet nach dem lockeren Bodenbrett, hebt es an, zieht es weg. Vor den Ritzen flimmert Sonnenstaub. Schose schließt die Augen; die Lichtfugen blenden ihn. Im Dunkel findet er Bes Boxhandschuhe. Schmeling hat sie ihm geschenkt; wie lange ist das schon her! Schose wird sie einem der ehrlichen Finder überlassen. Er wird die Tür hin-

ter sich nicht schließen. Er wird den Weg zu den Sprunganlagen einschlagen. Die Tücher und Matratzen der Bettnässer liegen nicht mehr auf den Stangen.
Schose kürzt den Weg ab. Er folgt der Mauer. Er erreicht das Schwimmbad. Weiher, nennt man es im Brandmoos.
Die Risse im Becken sind breiter geworden; jemand, der nichts von solcher Arbeit versteht, hat versucht, den Beton mit Teer abzudichten. Man hat eine der beiden Trauerweiden gefällt. Aus dem Strunk wachsen schon wieder mannshohe Gerten. Bestimmt verstopft das Wurzelgeflecht immer noch die Abzugsrohre.
Auch an der Nordseite der Mauer steht bis zur Heimkehr der Jungen das Tor offen. Sogleich, als sei er nie frei gewesen, sieht er mit den Augen des Gefangenen das offene Feld. Schon wieder will er wegkommen, zum Fluß hinunter, zum Bahndamm, nur weg vom Granitblock am Wegrand, weg vom Grenzstein.
Der Stein trägt die Zahl vier / sechs. Seine glatte, dem Feldweg zugewandte Fläche ist mit rotem Bleioxyd bemalt.
Die rote Zahl steht im Katasterplan. Brandmoos hat als eine der ersten Gemeinden im Kanton Bern die Güterzusammenlegung durchgeführt. Der Brunnen an der Brükke erinnert daran; er trägt die Jahrzahl 1934. Überall stehen jetzt die Grenzsteine. Der Eingeweihte kann sich nach ihnen richten. Sollten sie in einer ungeheuren Explosion schmelzen, dienen sie der Nachwelt als Mahnmal.
Denkt Schnorrer so vom Stein an der Stirnseite der Mauer? Kann er Reubell nicht vergessen? Genügt es nicht, daß er die Boxhandschuhe niedergelegt hat, dem ehrlichen Finder zur Freude?
Schose ist ein Rückwanderer. Fürsprecher Hügli wird es für richtig halten, ihm einen Beruf zuzuweisen, einen Rettungsring.

Was kann man werden?

Gärtner vielleicht. Thuja wird vor dem ersten Frost gepflanzt; Kompost ruht drei Jahre, Lonzadünger ist für Sportrasen ungeeignet.

Wer einen Beruf ergreift, wird in Geheimnisse eingeführt. Das Berufsgeheimnis darf nicht an Dritte verraten werden. Der Lehrling hat einen Vertrag zu unterschreiben. Es gehört zu den Pflichten des Vormunds, die Einhaltung des Vertrages zu überwachen. Wer Kellner werden möchte, hat es schwer. Fürsprecher Hügli findet den Kellnerberuf unseriös. Er besitzt ein gutgehendes Informationsbüro und eine Werbeagentur. Er liebt es, seine Mündel einfachen Berufen zuzuführen. Seine Liste umfaßt eine Reihe solcher Berufe: Mechaniker, Steinsetzer, Uhrmacher, Schreiner. Sollte es schwerfallen, die Zöglinge von der Wichtigkeit ernsthafter Arbeit zu überzeugen?

Manche wollen Grafiker werden, Architekten, Schaufensterdekorateure. Der Vormund widersetzt sich solchen Wünschen. Ein Berufsberater stent in seinen Diensten. Die Zöglinge werden die entsprechenden Tests zur Zufriedenheit aller Verantwortlichen lösen, einen Teppichklopfer aus Blumendraht formen [Mechaniker], ein Flugzeug aus Wäscheklammern basteln [Schreiner], zeichnen: einen jungen Apfelbaum, mit Baststricken an den Haltepfahl gebunden [Gärtner], ein Quadrat mit Zirkel und Dreieck in den Kreis gemalt [Uhrmacher].

Wie soll Schose sich entscheiden? Er möchte beispielsweise Kellner werden. Er habe Tillmann getötet, weil er wissen wollte, wie einem dabei zu Mute sei, hat er zu Hügli gesagt.

Ein erstaunliches Wort! Fühlt man sich endlich befreit? Ist man ein Krüppel, aber äußerlich intakt? Man wundert sich über das, was möglich ist, über alles, was geschehen kann. Man wundert sich, daß es nichts gibt, das unterbleiben müßte und wundert sich über das viele, das unterbleibt. Man steht am Grenzstein vier/sechs; man ist ein junger Trinker und fürchtet sich, dem Vormund Hügli unter die Augen zu treten.

Man hat sich an der Amtsstelle einzufinden, man sucht die Nummer fünfundsiebzig, die Nummer des Hauses an der noch unbekannten Straße, in einer noch fremden Stadt. Kinder stehen unter den Türen, Kinder laufen über die Straße, zwischen die Kinder drängen sich eilige Gruppen von Erwachsenen. Einige bleiben am Haus Nummer fünfundsiebzig stehen, den Passierschein gezückt, die Ausweise bereitgelegt, wollen vorgelassen werden: zur Untersuchung, zur Rechtfertigung, zur Rehabilitierung, zur Versetzung, zur Beförderung. Sie legen Bericht ab, nehmen Aufträge entgegen und gehen zurück in den Betrieb, unter in der Arbeit, auf im Beruf. Keiner ist mehr Herr seiner selbst.

Wie glücklich sind dagegen die Zöglinge hinter der Mauer. Sie sehnen sich nach der Freiheit.

Wie genau wird die Mauer beobachtet! Im Frühherbst ist sie von einer Moosschicht überwuchert, von einem langhaarigen Schimmelpilz. Im Frühherbst gibt es die windstillen Föhntage. In der Luft liegt der Rauch der Kartoffelfeuer; die Zöglinge singen auf den Feldern; auf dem Anstaltshof knien, in einer Kolonne ausgerichtet, die Jäter.

Wie spät ist es? fragen sie. Man sagt ihnen die Zeit. Eine Minute später fragen sie wieder. Ihre Zeit ist nicht von der Uhr abzulesen. Sie hören den Zug auf der Brücke, das Tuten eines Kahns auf dem Fluß. Sie kennen die Geräusche, aber sie sind schon bedeutungslos geworden.

Könnte Schose sein wie Reubell! Sich mit den Auswirkungen zufriedengeben und nur danach fragen, wie ein Ding funktioniert.

Reubell behauptet, weil er wissen wollte, wie einem dabei zumute sei, habe Schose Tillmann getötet. Das ist eine Lüge.

Vielleicht hat er, weit davon, recht zu haben, nicht unrecht?

Fragt Reubell!

Der Fall Tillmann ist für die Nachwelt festgehalten worden [die Möglichkeit, daß er vergessen werden kann, eingerechnet]. Er ist in einem Folianten der Bibliothek Brandmoos aufbewahrt, nach einem logischen System geklärt, bezeugt und erledigt, einem System, das in spätestens zweihundert Jahren unverständlich sein wird. – Reubell sagt: An den Mauern beginnen die Selbstgespräche.

Es gibt die bestimmten Sätze, die zu Fragen werden; und weil alle Sätze mit einer Tätigkeit verbunden sind, enden sie alle schließlich mit einer Frage.

Was hat Reubell von Schnorrer gehört?

Es heißt, der Junge macht sich, obwohl er noch immer kein Geständnis ablegt. Man müßte meinen, der Mord beschäftige ihn. Aber so ist es nicht. Er hat Tillmann vergessen. Er ist zur Bewährung aus der Anstalt entlassen worden, man weiß nicht, weshalb.

Auch von einer Lehrerin wird erzählt, von einem Fräulein Rollbach. Sie soll Schose in einer Kiesgrube verführt haben. Vielleicht ist es wahr? Dolores kann es sich vorstellen; Madame ist froh, daß Dolores bald nach Zürich geht.

Jedenfalls: selbst wenn wir Schose aufgeben wollten, könnten wir auf ihn und seine Rolle nicht mehr verzichten.

Er ist uns als junger Trinker nahegebracht worden, dann als unschlüssiger Rückwanderer.

Er wird im Brandmoos von Fürsprecher Hügli und dem Verwalter erwartet. Er ist in der Nähe der Anstalt ge-

sehen worden. Ein junger Mann soll sich am Grenzstein vier / sechs längere Zeit ausgeruht haben; ein Wanderer vielleicht, wer weiß?
Es kommt immer noch vor, daß Wanderer das Flußtal durchqueren. Die Anstrengungen der Vereine Heimat- und Naturschutz tragen Früchte. Die Schönheit der Hügel zieht die Leute an und bringt Verdienst ins Tal. Die Flußlandschaft muß erhalten werden. Der Uferschutz sorgt für die Erhaltung der Ufer. Herr Fürsprecher Hügli hat sich bereit erklärt, die Belange der Schutzbünde im Nationalrat zu vertreten.
Eine wichtige Aufgabe! Der Brutraum der Vögel ist gefährdet. Die Laichplätze der Fische sind bedroht. Der zunehmenden Gewässerverschmutzung durch Wirtschaft und Industrie muß gewehrt werden.
Abwehren und erhalten, ist die Devise der Schutzbünde.
Herr Hügli ist überzeugt, daß eine solche Haltung nach dem Krieg mit dem Verständnis weitester Bevölkerungskreise rechnen kann; sie entspricht zudem der politischen Haltung seiner Partei.
Im wesentlichen, fügt Herr Hügli bei; mit Ausnahme des Militärdepartements. Das Militär muß sich die neuesten Errungenschaften der Technik zunutze machen. Das Militär hat innerhalb der schweizerischen Verhältnisse seine Sonderstellung zu verteidigen.
Die Herren nicken. Sie folgen den Ausführungen ihres Nationalratvertreters. Der Verwalter holt Inselwein. Die Bäckerlehrlinge haben kleine Käsekuchen gebacken.
Im Schatten unter dem Kastanienbaum sitzt Hüglis Chauffeur. Er kaut an einem Grashalm. Schose sieht, wie er aufsteht und um den schwarzglänzenden Opel herumgeht. Eine Tür fällt ins Schloß, der Chauffeur spuckt den Grashalm aus, rückt die Mütze zurecht. Ohne in den Spiegel

zu blicken, fährt er den Wagen rückwärts, bis dicht an den Stein vier / sechs. Jetzt ist er startbereit.

Der Mann hats im Gefühl! Ein Blindfahrer, der Mann!

Am späten Sonntagnachmittag sitzt Schose in der Wirtschaft Zur Brücke. Er macht aus der Bierlache auf dem Tisch einen Vogel. Dann, weil der Tisch nicht gerade steht, macht er da, wo das Bier sich sammelt, einen zweiten Vogel, der mit dem ersten am Flügel verbunden ist.

Schose hat Durst. Schose will Bier trinken. An allen Tischen rufen sie nach der Serviertochter. Schose ruft dreimal, dann bekommt er seine Flasche. Er faßt sie am Hals, er fühlt, wie der Verschluß zwischen Daumen und Zeigefinger nachgibt, er hebt sie, stellt sie vorsichtig auf den Tisch zurück. Sie bleibt aber nicht stehen. Er nimmt sie, trinkt und ruft nach einer neuen.

Während er wartet, betrachtet er seine Hände. Sie sind kräftig, nicht schön, zu kurz; sie haben ihre Erinnerungen; Schose betrachtet sie mit Befriedigung. Wer solche Hände hat muß schweigen, wenn die andern singen. An allen Tischen singen sie das Lied von den Bergen. Schose ist vor seiner neuen Flasche in der niedrigen Wirtschaft am Fluß Zeuge ihres Singens von den Bergen. Im Saal spielt die Älplerkapelle Edelweiß. Lehmann ist dabei. Der Junge, den sie Brienzer nennen, spielt Baß. Ein Vorhang hängt vor der Bühne; die bemalten Leinwände sind verschwunden. In einem neuen Glaskasten werden Banner und Kränze des Scharfschützenvereins ausgestellt.

Die Männer versuchen, ihren Frauen zu erklären, was auf den Kannen steht.

Sie kennen die Gravuren auswendig.

Die Frauen beklagen sich. Der Rauch brennt in den Augen! So kann man nichts entziffern. Wollen wir nicht die Fenster öffnen?

Aber dann tun sie es doch nicht. Sie rufen nach der Bedienung.
Der Wirt hat schon am Morgen den Karton an die Tür gehängt: HEUTE TANZ. Es kann sogar vorkommen, daß Frauen ohne Männer erscheinen, Freundinnen vielleicht? Eine Frau hat sich an Schnorrers Tisch gesetzt; was ist dabei? Sie schämt sich nicht, neben den Biertrinkern zu sitzen. Sie trägt an der linken Hand einen Ring. Es ist ein neuer Ring, und schmal ist er. Er glänzt wie neu. Er ist für ihre Hand zu groß.
Eheringe gibt es überall zu kaufen. An Gold fehlt es nicht. Man muß nicht unbedingt in die Stadt fahren; auch in jedem Dorf kann man sie kaufen. Die junge Frau hat den Ring vielleicht aus dem Geschäft neben der Kirche? Erst gestern hat sie ihn bekommen oder gestern vor einer Woche. Ihr Alter ist nicht zu schätzen. Wenn sie lächeln würde, hätte man einen Anhaltspunkt. Sie hat eine breite Nase und ein breites Kinn. Da, wo sie hinschaut, auf den Tisch oder durch den Tisch hindurch, ist die Farbe ihrer Augen nicht zu erkennen. Vielleicht ist die Frau jünger, als man glaubt? Eine junge Braut. Ihr Bräutigam hat ihr das Geschenk zur Verlobung gemacht; er hat die Größe nicht richtig angegeben: deshalb paßt der Ring nicht. Der Mann hat die Feldarbeit liegen lassen und ist ins Dorf geeilt, um ihr den Ring zu kaufen. Heiraten kann man im Herbst. Jetzt könnte man heiraten.
Warum ist der Bräutigam nicht mit seiner Braut zum Tanz gekommen? Vielleicht hat er sich verspätet. Es ist nicht leicht, an alles zu denken, wenn man sich verheiraten will. Die Möbel sind in Auftrag zu geben, dem Zivilstandesamt ist der Heimatschein zur Abänderung einzureichen, man muß mit dem Pfarrer reden.
Die Frau tastet, ohne aufzusehen, nach ihrem Glas. Sie

trinkt. Sie stellt das Glas auf den Tisch; ihr Ring streift Schoses Flasche.

Schose sieht sich nach dem Bräutigam um. Gleich wird er kommen. Er wird seine Braut nicht lange warten lassen. Er weiß, daß sie gerne tanzt. Er hat sie schon oft ausgeführt. Sie liebt Polka und Foxtrott. Er hat sie an einem Unterhaltungsabend im Nachbardorf kennengelernt. Wie höflich die jungen Männer sind, wenn sie ein Mädchen zum Tanz bitten! Tanzen Sie, Fräulein? Darf ich Sie um diesen Tanz bitten? Haben Sie den nächsten Tanz schon versprochen? es wird ein Tango sein, jede Wette.

Die Mädchen zieren sich nicht. Es ist unhöflich, einen Tanz abzulehnen, hat Dolores immer gesagt. Ein Mann, der deinetwegen aufsteht, darf nicht zurückgewiesen werden. Dolly hat sie nur ausgelacht.

Es gibt Gründe, eine Aufforderung zum Tanz auszuschlagen. Die Frau am Tisch erwartet ihren Bräutigam. Das kann sie einem Tänzer sagen, ohne unhöflich zu sein.

Danke, kann sie sagen, ich tanze nicht. Mein Verlobter wird gleich kommen; Sie verstehen.

Der Mann wird sich entschuldigen und ein anderes Mädchen fragen. Ein Fremder ist an Schoses Tisch getreten. Er verbeugt sich vor der jungen Frau.

Bitte, sagt er.

Die Frau stellt ihre Tasche auf den Stuhl. Der Mann geht voran; er bahnt ihr den Weg durchs Gedränge.

Die Musik spielt einen Marsch.

Es ist schwierig, die beiden zu beobachten. Zu viele Paare sind auf der Bühne. Sie bewegen sich kaum. Manchmal kann Schnorrer sehen, daß der Fremde seinen Arm um die Frau gelegt hat. Ihr Gesicht ist abgewandt. Sie lächelt ihren Tänzer an. Wie Vögel bewegen sie sich, wie schwer-

fällige Krähen. Krähen hüpfen nicht. Schose zielt mit dem Zeigefinger auf das Paar: pang, pang.
Auf dem Weg zur Sandbank, abends, zählt er im Feld am Waldrand siebzehn Stück Saatkrähen. Wenn er stehenbleibt, fliegen sie auf.
Der erfolgreiche Schütze erhält eine Abschußprämie. Die Krähen sind mißtrauisch geworden. In der Dämmerung kreisen sie lange über den Bäumen. Jemand treibt sich im Wald herum, vielleicht ein Liebespaar? Erst nach Einbruch der Nacht lassen sich die Krähen in ihrem Schlafbaum am Waldrand nieder.
Wer draußen schläft, lernt sehen. Vor Schose haben andere auf der Sandbank Unterkunft gefunden. Die Wiedertäufer haben auf der Flucht am Flußufer Hütten errichtet; das ist schon lange her. Die Hütten sind zerfallen; die Ufer werden drainiert. Die Bauern weiten ihr Land aus, Wege werden gebaut, Spazierwege, Wanderwege. Erst vereinzelt, dann in Gruppen mischen sich junge Burschen unter die Sonntagsausflügler. Mit Paketen und Rucksäcken beladen, tun sie so, als sei man auf dem Rückweg zur Stadt. Sie tragen noch immer ihr Militärhemd. Von Zeit zu Zeit blicken sie sich verstohlen um.
Habe ich alle Spuren verwischt?
Kann mir keiner folgen?
Der Hund liegt an der Kette; wer weiß, wenn ihn einer losbindet! Vielleicht hat man die Geschichte von dem gerissenen Reh zu Hause nicht verstanden?
Sie rücken den Hut zurecht, machen größere Schritte. Schose erkennt sie auf den Flußwegen. Er kennt die Augen von Leuten, die die Nächte draußen zubringen, Augen mit entzündeten und geschwollenen Lidern. Die jungen Landstreicher verlassen ihre Dörfer. Sie ziehen in die Stadt. Manche führen ein Rad mit sich. Sie nehmen sich vor,

einen Freund, den sie vor Jahren aus den Augen verloren haben, zu besuchen. Ein fremder Reisender hat ihnen die Adresse aufgeschrieben.
In der Stadt lebt jedermann gut, sagen die Reisenden. Die Arbeitslosigkeit, daß ich nicht lache! Uns geht alles leicht von der Hand. Am Abend schließen wir den Laden ab und sind frei.
Ihr Provinzhasen, was wißt ihr von der Stadt? Ihr redet noch immer von der Krise. Ihr habt die neue Zeit nicht verstanden. Wer jetzt nicht zugreift, kommt daneben.
Sie beugen sich mit ihrem Feuerzeug über den Tisch, ein goldenes Funkeln, einen Lichtreflex im Gesicht.
Die Reisenden fahren einen Wagen. Sie ziehen Vergleiche. Nun gut, man wird sich umsehen müssen. Die jungen Dorfbewohner haben ihren Entschluß schon gefaßt.
Am Kanal in der Stadt findet sie Schose unter den Arbeitslosen. Er hat sich bei seinem Bewährungshelfer gemeldet. Hügli ist zufrieden mit dem Mündel J. C. Ledermann. Er erteilt ihm einen Auftrag. Die Arbeitslosen müssen überwacht werden. Man möchte wissen, was sie treiben. Die Regierung hat vorgesorgt.
Wie ist es nach dem Ersten Weltkrieg gewesen? Büros sind eingerichtet worden, Stempelmarken sollen abgegeben werden: solche Maßnahmen haben sich damals als notwendig erwiesen. Man war nicht gut vorbereitet. Der damalige Fürsorgedirektor hat seine Demission anbieten müssen. Die Opposition hat ihm Unfähigkeit vorgeworfen. In Bern werden diesmal zwanzigtausend Arbeitslose erwartet. Sie sind eine politische Gefahr. In gewissen politischen Kreisen redet man wieder von der roten Gefahr. Eben erst ist der Gipserstreik zu Ende gegangen.
Niedergeschlagen worden, sagen die politischen Kreise, denen Fürsprecher Hügli angehört.

Die Forderungen der Arbeitnehmer werden erfolgreich abgewiesen.
Der Kommunismus ist auf breiter Front geschlagen.
Mitbürger, wir denken für euch!
Auf den öffentlichen Plätzen und am Kanal halten die Parteiführer ihre Reden.
Auch Hügli raucht Zigarren. Schose weiß, daß sie in Fribourg hergestellt werden. Es steht auf der Schachtel: in Fribourg gerollt. Mit Brasil-Deckblatt.
Fürsprecher Hügli hat seinem Mündel eine Zigarre angeboten.
Schose raucht lieber Zigaretten. Dollys Pfeife hat er verloren. Vielleicht müßte er holländischen Tabak rauchen, wie Wolf? Überall gibt es jetzt die amerikanischen Zigaretten, Players, Camels.
Schose hat die Zigarre abgelehnt. Als Angestellter des Arbeitsamtes erstattet er seinem Vormund jeden Freitag Bericht. Er lebt mit den Arbeitslosen. Er tut, als sei er einer der ihren.
Die Politiker haben sich getäuscht; die Krise kommt nicht. Es gibt nicht viele Arbeitslose.
Schose blinzelt. Er liegt an der Böschung, zieht sich den Hut übers Gesicht. Er döst vor sich hin.
Bald ist Mittag; Zeit, stempeln zu gehen, Zeit, in der Gemeinschaftsküche die Suppe zu holen.
Er beobachtet Neunfinger und den Neger. Der Neger ist ein amerikanischer Urlauber. Er geht mitten in der Fahrbahn. Neunfinger, ihm auf den Fersen, schleppt einen Blumentopf, Melisse vielleicht; warum nicht Melisse? Das Wort Melisse lernt man in der Schule.
Neunfinger besitzt einen schwarzen, steifen Hut mit kurzer Krempe; unter das Hutband hat er seinen Arbeitslosenausweis gesteckt.

Sie gehen vorüber; der Soldat hört auf zu pfeifen, sagt etwas, pfeift wieder; Neunfinger gibt keine Antwort. Auf kleinen Botengängen verdient er sich die Wurst zur Suppe; mehr braucht er nicht. Er ist sechzig gewesen, ein alter Mann; er braucht nicht mehr viel zum Leben. Junge Männer halten sich nicht lange am Kanal; eine Woche, zwei Wochen, wenns hoch kommt: dann werden sie weggeholt.
Die hierbleiben, die Arbeitslosen, sind alt.
Was tut man nach dem Krieg mit den alten Leuten?
Vielleicht wird sich die Regierung eines Tages mit dieser Frage befassen.
Die Alten sind auch Menschen, sagt der Fürsprecher.
Die Sand und Kies AG beschäftigt nur noch alte Leute. Keinem Jungen würde es einfallen, auf den Kähnen zu arbeiten. Er hat am Fluß ein hartes Leben, Schichtarbeit, und frei nur jeden dritten Sonntag.
Man kann von den Schiffern lernen. Der Fluß lügt nicht. Er ist träge; aber manchmal, in Sekundenschnelle, wird er gefährlich.
Das vergessen die Schiffer nicht mehr, auch wenn sie nie davon reden. Die Ufer verlanden. Die Flußzeit ist vorbei. Die jungen Schiffer gehen zur Bahn.
Schose lehnt sich vor; so kann er den Kanal zu seinen Füßen überblicken. Man hat die Mauer neu zementiert. Jetzt, im Oktober, ist der Verputz algenfrei. Im Wasser spiegeln sich Bäume, Geländer und Himmel. Es ist Mittag, die Wärme macht die Männer an der Böschung schläfrig. Dieser oder jener setzt seinen Hut auf und schlendert in den Hof hinüber. Er ist zwischen den an Mauerhaken aufgehängten Fahrrädern noch zu sehen, bevor er an der Ecke verschwindet.
Die Straße belebt sich über Mittag. Die Straßenbahnen sind überfüllt; sie rollen lärmend in die Kurve.

Dem Kanal entlang gehen die Schüler nach Hause. Ein Junge wirft einem andern Jungen sein Vesperbrot zu. Ein Mädchen steht, die Schultasche zwischen die Beine geklemmt, lange am Geländer.

Auch die Hundebesitzer kennen den Kanalweg. Meist sind es ältere Männer. Sie schlendern hin und her, die Hände mit dem Lederhalsband auf dem Rücken verschränkt; sie werfen Steine, oder sie versuchen, über die Böschung hinweg ins Wasser zu spucken.

Nur an den Vormittagen gehört die Allee den Arbeitslosen. Sie knöpfen das Hemd auf, sie ziehen Schuhe und Strümpfe aus und legen die Jacke unter den Kopf. Sie haben die Nacht hinter sich gebracht, eine lange und kalte Nacht im Wartesaal zweiter Klasse. Sie haben die Stadt ziellos durchstreift, sind den Müllkästen und den Müllkarren nachgegangen; sie sind mit Büchsen und Säcken beladen, folgen den Nachtschichtlern des Gaswerks, den Grampern mit ihren Karbidlampen, klauben Stumpen- und Zigarettenreste aus der Gosse, noch bevor die Stadtarbeiter mit ihren Sprühwagen die Runde machen. Im Morgengrauen treffen sie sich auf kleinen Plätzen.

Jetzt dösen sie vor sich hin; ihre Füße sind in der Wärme aufgequollen.

Die Welt der Arbeitnehmer liegt, mit Türmen und Mauern befestigt, am andern Ufer: eine ferne Küste, nach oben durch ein Netz von Fahrleitungen und elektrischen Kabeln abgesichert.

Da kommt Neunfinger! Er nähert sich rascher, als Schose gedacht hat. Wieder geht er mitten auf der Fahrbahn, zwischen den Tramschienen. Er streift die Wartenden mit einem Blick. Er setzt sich auf die Bank vor der Linde. Er knöpft die Jacke zu; unter der Jacke trägt er eine schwarze Samtweste. Er verschränkt die Arme auf der Brust: an

seiner linken Hand fehlt der kleine Finger. Schose möchte wissen, was mit Neunfinger los ist.
Einer, der nur neun Finger hat, kann damit rechnen, beachtet zu werden. Er ist ein Sonderfall. Schose möchte wissen, was Neunfinger von der Oktobersonne hält.
Den Zehnfingrigen geht alles leicht von der Hand. Die Welt ist für sie eingerichtet. Ihre Verwandlungskünste im Rechnen gründen sich auf die Überlegenheit der Zehner und der Hunderter vor den Neunern und den Neunzigern, sogar hier, am Kanal.
Neunfinger hat eine Geschichte zu erzählen. Er kann den Krieg erwähnen; er kann große Schweizerstädte, einen mächtigen Fluß und eine siegreich verlaufene Anbauschlacht schildern. Er darf von dem Opfer reden, das er der Gesellschaft gebracht hat. Seine erhobene vierfingrige Hand verschafft ihm im Tumult Gehör; er hat es nicht nötig, seine Verkrüppelung durch eine Prothese zu verbergen. Er hat eben nur neun Finger; das ist sein sichtbarer Vorteil.
Neunfinger zieht eine Zeitung aus der Tasche. Er streckt sie so von sich weg, daß die Mitleser ihm über die Schulter oder über die Arme schielen können.
Doktor Rosenfeld in die Schweiz zurückgekehrt, schreibt der Redaktor.
Neue Pockenimpfungen für Gymnasiasten.
Trambahnen während der Stoßzeit jetzt alle sechs Minuten.
Ein lyrisches Gedicht ist auf der ersten Seite gedruckt. Noch nie habe er über den Tod gesprochen, behauptet der Dichter. Zeitungspapier wird von alten Arbeitslosen geschätzt. Drei sitzen links von Neunfinger, zwei rechts. Der eine hat ein Taschentuch. Bevor er die Seite wendet, blickt Neunfinger ihn an.
Er ist sogar mit den Fremden fertig geworden: sie dürfen

ihn für ein Trinkgeld fotografieren. Schwarzweiß ist billiger als farbig.
Sie fotografieren alles, sagt Neunfinger zu seinen Kollegen. Haltet euch nur still, ich übernehme die Verhandlungen.
Er führt die Touristen durch die Stadt. Sie zeigen ihm ihren Katalog, sie nennen die Sehenswürdigkeiten. Neunfinger sorgt dafür, daß sie auf die Minute genau vor dem Zeitglockenturm stehen.
Ah, sagen sie, wenn die kleinen Bären die Stunden schlagen. Sie sind begeistert: der Uhrenkönig am Turm schwingt sein Szepter, während der Tod übers blaue Zifferblatt rutscht, genau so, wie es der Prospekt ihnen versprochen hat. Die Neugier der Touristen ist leicht zu befriedigen.
Ich spreche sechs Sprachen, sagt Neunfinger, aber man weiß, daß er nur berndeutsch redet. Die Fremden scheinen Neunfingers Berndeutsch zu verstehen. Sie folgen ihm willig zum Kanal; für die Arbeitslosen fällt immer ein Trinkgeld ab.
Wie ist es mit den Malern? Neunfinger weiß nicht so recht: ein Maler packt die Sache anders an. Er stellt seine Staffelei unter einen Baum. Die Wasserfarbe muß angefeuchtet werden; Pinsel werden ausgewickelt. Er berührt das Papier mit dem Stift, ängstlich beinahe, er blickt noch einmal zur Bank gegenüber. Auf der Bank sitzen sechs Zeitungsleser. Was denkt sich der Maler, wenn er sie malen will? Er möchte eine kleine Skizze nach Hause bringen. Die Gesellen auf ihrer Bank verleiten ihn dazu, sich auf etwas einzulassen; plötzlich kommt er nicht mehr weiter.
Es liegt an der Verteilung, sagt der Maler. Die Arbeitslosen scheinen auf einen Mann zu warten. Sollte er in ein paar Minuten eintreffen oder ist er eben erst weggegangen? Man könnte sie danach fragen; sie würden keine Antwort geben. Sie wüßten nicht, wovon er redet. Die

Erwartung drückt sich in der Haltung ihres Kopfes aus, jetzt auch schon in der Stellung ihrer Hände.
Der Maler malt sechs Männer auf einer Bank. Sie sind schwarz gekleidet und tragen schwarze Hüte. Der Maler macht die Bank auf seinem Bild breiter, als sie in Wirklichkeit ist; nun findet sich da auch noch Platz genug für den siebten, der ja bald kommen muß. Der Maler malt den Baumstamm hinter der Bank, die einzige Linde am Kanal, und er malt die Luft unter der Krone, braun, wie sie ist. Der Neunfingrige hält die offene Zeitung; der Maler hat ihm in aller Unschuld den zehnten Finger zurückgegeben.
Zu Hause wird er das Bild mit Lack überziehen, damit es länger hält. Eines Abends bringt er es in sein Stammlokal, in das Zunfthaus Zur Wirten. Es ist ein kleines Bild; der Geschäftführer hat nichts degegen einzuwenden, daß es an die Wand gehängt wird.
Neunfinger macht sich Vorwürfe. Er hat vergessen, den Maler um Trinkgeld zu bitten.
Ein derartiges Versagen darf sich nicht wiederholen.
Die Fremden werden den Schaden ersetzen müssen. Die amerikanischen Urlauber haben Geld. Viele bleiben nur ein paar Tage in der Altstadt, finden rasch ein Mädchen, besuchen mit ihm nachts das Münster, legen einen neuen Film in ihre Kamera und fahren weiter. Andere bleiben länger. Bern gefällt ihnen. Der Neger, zum Beispiel, kommt immer wieder.
Er hat Schose eine Medaille geschenkt. Er läßt sich von Neunfinger die Stadt zeigen. Er läßt Neunfinger einen Blumentopf tragen, Melisse.
Lucky, heißt der Neger; Lucky wäre ein passender Name. Lucky ist ein richtig schwarzer Parade-Neger. Daran gibt es nichts zu ändern.

Schose holt seine Medaille hervor, Gold, mit den beiden Buchstaben U. S. Er wischt sie am Hemdärmel blank; dann schiebt er sie unters Hemd zurück.

Man kann die Medaille als Amulett tragen.

Vielleicht ist Lucky ein guter Soldat? Man kann es sich vorstellen.

Eines Nachts ist der Krieg zu Ende.

Die Soldaten haben Durst. Raketen steigen aus dem Dunst und zerplatzen lautlos. Lucky lacht oft. Er hat schöne Zähne.

Die sind in Ordnung. Prima Zähne, die besten Zähne in der Armee haben wir, die Schwarzen. Und das beste Zahnfleisch. Mein Zahnfleisch blutet nie. Es ist sauber und fest. Ich bin ganz gesund, rundherum gesund. Mir fehlt nichts, überhaupt nichts; sogar mein Zahnfleisch ist tadellos.

Er betrachtet sein Gesicht im Rasierspiegel. Er stellt den Spiegel auf einen Fensterrahmen oder auf die Ladebrücke des Wagens; manchmal holt er ihn auf der Fahrt hervor, weil Lucky nicht sicher ist, wie Lucky aussieht. Seinen Körper kann er sich immer vorstellen, die Glieder, die Hände, den Rücken, den Körper in der Bewegung, den helmbedeckten Kopf; nicht aber das Gesicht. Erst im Spiegel findet er es wieder. Der Spiegel schützt sein Gesicht. Es ist schmal; die Haut ist dunkler, als er vermutet hat; dunkler als während des Krieges. Die Zähne sind wirklich gut. Er lacht sich an, Lucky, er streckt die Zunge heraus; auch die Zunge ist gesund. Nichts fehlt ihm. Er hat eben Glück gehabt; er kann zufrieden sein.

Schaut mich an! Ich bin beinahe sieben Fuß groß. Ich zerbeiße Glas, wenn ihr es haben wollt. Ich bin ganz in Ordnung.

Seine Kameraden mögen es, wenn Lucky auf den Tisch steigt, tanzt und Glas ißt. Sie sind mit ihm in die Schweiz

gefahren. Der Staat hat sie von der Front in die Ferien geschickt. In der Schweiz, im Schweizer Urlaub, ißt Lucky noch mehr Glas als zuvor; puh, dieser Farbige.
Er kaut Weinkelche, er zerbeißt Biergläser. Er bezahlt den Schaden gerne. Er fühlt sich wohl auf dem Tisch. Auf dem Tisch ist er frei. Er bewegt sich auf dem Tisch wie zu Hause im knöcheltiefen, warmen Staub. Ein Ruf ist da, aufgenommen und weitergegeben, ein leiser Wechselgesang, ein sanftes Händeklatschen.
Lucky hat die Augen geschlossen; die andern sagen: Er tanzt. Die Urlaubsbräute sehen ihm gerne zu; sie kauen den Kaugummi ihrer Freunde; sie rauchen amerikanische Zigaretten, bekannte Marken.
Lucky ist nie müde. Er braucht keinen Schlaf. Manchmal läßt er Neunfinger als Gepäckträger antreten, manchmal geht er allein durch die Stadt. Er erreicht im Ostring die Schrebergartenkolonie. Er legt sich in ein Gebüsch und beobachtet die Familien. Nachmittags arbeiten Kinder und Frauen in den kleinen Gärten. Die Frauen tragen kurze Röcke; sie hantieren mit allerlei Werkzeug. Lucky ist glücklich. Die Hütten sind wie die Hütten zu Hause. Sie stehen in einer Reihe, sind mit Blumen geschmückt. Nach Feierabend kommen die Männer und sehen nach, wie die Frauen gewirtschaftet haben. Sie zeigen ihnen, wie sie es besser hätten machen können; das lassen sich die Frauen gerne gefallen.
Du hast vergessen, das Regenfaß zu decken, sagen die Männer. Denk an die Mücken, und außerdem: das Wasser verdunstet in der Wärme.
Daran haben die Frauen nicht gedacht. Sie werden sich gleich morgen einen Deckel besorgen.
Von Zeit zu Zeit holt Lucky den Spiegel hervor. Er kann drüben, in der Kolonie, eine Fensterscheibe zum Aufflam-

men bringen. Er betastet den Spiegel: das Glas ist auch in der Tasche kühl geblieben.
Vielleicht ist Lucky krank?
Er betrachtet seine Augen im Spiegel. Sie sind in Ordnung. Alles ist in Ordnung. Kein Grund zur Beunruhigung.
Lucky steckt den Spiegel ein; er klimpert mit den Münzen in seiner Tasche; sie fühlen sich warm an, heiß beinahe. Geld muß kühl sein; es ist unanständig, handwarme Stücke fortzugeben. Wie soll er in der kurzen Zeit gelernt haben, mit Schweizer Geld umzugehen? Der Wert ist nicht immer richtig angegeben; die Zahlen auf der Münze: 1, 1/2, 10, 20, 5 sind von einem Blätter- und Früchtekranz umrahmt.
Lucky verläßt gegen Abend seinen Beobachterposten. Er geht spazieren. Er steht vor dem Krankenhaus an der Äußeren Enge und schaut den Leuten zu, die sich verabschieden. Die Besucher besteigen einen Autobus. Die Rekonvaleszenten drücken ein Geschenk an die Brust und winken mit der freien Hand, wenn der Bus schon in die Kurve einbiegt.
Lucky läßt die Gärtnereien und die von Treibhäusern eingeschlossene Irrenanstalt hinter sich; er erreicht den Fluß; er geht dem Fluß entlang; er erreicht den Uferweg. Unter den Weiden ist es dunkel. Lucky überquert das Wehr auf dem Damm. Lucky ist am Kanal angelangt. Hier fließt das Wasser still und rasch dahin. Vor der Aufbereitungsanlage verläßt es das ausgemauerte Bett und steigt in einer gewaltigen Säule in die Klärbecken. Die Pumpen arbeiten lautlos.
Lucky beginnt zu laufen. Der Kanalweg führt, an Schlammbecken und Hefesilos vorbei, in die Stadt zurück. Lichter schieben sich vor den Hügel, fallen von oben und von vorn auf ihn zu, Mauern fassen den Weg ein, der Weg

teilt sich, die Mauern teilen sich, die Wege werden zu Straßen; Gärten und Hecken teilen die Straßen, Häuser drängen die Gärten zurück, schließen die Lücken zwischen den Mauern, verdrängen die Mauern, steigen zu einem Platz an, umringen den Brunnen mit seinen vier an die Kette gelegten Bronzebären. Auf den Tisch mit dir, Lucky! Hilfreiche Hände stützen ihn. Seine Uniform ist schmutzig geworden. Lucky tanzt. Heute abend ißt er seinen Spiegel. Hat er vielleicht nicht die besten Zähne der Armee? Schose kann es bezeugen.

Fürsprecher Hügli wird an dem Bericht keine Freude haben. Schose hält unverwendbare Informationen für wichtig. Seine Meldungen geben keinen Aufschluß über das Problem der alten Arbeitslosen. Sie enthalten keine möglichen Lösungen. Schose wird abberufen werden. Glücklicherweise bleiben die amerikanischen Urlauber nicht lange am selben Ort. Sie sollen die schöne Schweiz kennenlernen: VIER KLIMATA AUF ENGSTEM RAUM.

Fort mit den gesunden amerikanischen Urlaubern über Bern – Thun – Frutigen – Adelboden; im Lötschberg/Simplon-Expreß.

# 8

Ich liebe dich
o ich liebe dich
ich liebe dich
ich liebe dich auch
o ich liebe dich auch.
Schose beobachtet sie. Liebespaare fangen alles neu an.
Liebst du mich?
Liebst du mich wirklich?
Zeig, daß du mich liebst.
Wenn sie müde werden, reden sie.
Der Wind, schau den Wind, schau die vielen offenen Fenster!
Ich liebe dich, Fritz, ich möchte ein Kind von dir haben.
Liebst du mich wirklich? Können wir zu dir nach Hause gehen?
Du mußt leise sein, sagt das Mädchen. Frau Köhler darf nichts merken. Versprich mir, leise zu sein. Paß auf den Lichtschalter auf.
Die beiden stehen im Schatten hinter der Mauer. Der Mann küßt das Mädchen. Er legt ihm den Arm um die Schulter. Sie betreten ein dunkles Haus mit offenen Fenstern.
Auf dem Platz vor dem Arbeitsamt bleiben die Schläfer zurück, italienische Fremdarbeiter. Sie haben die alten Arbeitslosen abgelöst. Sie hocken zusammengesunken auf ihren verschnürten Pappschachteln, umklammern die Koffergriffe, sinken vornüber. Vor ihrem Gepäck liegen sie jetzt. Unter den Kanalbäumen des 10. Juli 1946 liegen sie. Unter der Lichtfontäne der neuerbauten Speditionsfirma schlafen sie.
Auf der Rampe stoßen die über eine Drehscheibe vorge-

zogenen Güterwagen zusammen. Man kennt die Geräusche, das weiche Aufschlagen der Puffer, das Klirren der Haken, das Zischen der Luftdruckschläuche. Türen rumpeln, Dächer werden aufgerissen; Sodasäcke gleiten auf dem Fließband in einer langen Reihe durch die Verladehalle. In einer Stunde wird die Nachtschicht abgelöst.

Schose kennt die Arbeiter mit Namen, wenn es die Namen sind, die Fürsprecher Hügli zu erfahren wünscht. Einige von ihnen tragen ihre Zeitungen so in der Tasche, daß man den Titel lesen kann: VORWÄRTS. Zu Hause empfangen sie den Vertreter einer Lebensversicherung, den Angestellten einer Radioverkaufsgenossenschaft, einer Staubsaugerfirma, einer Autogarage, falls es das ist, was Hügli wissen möchte.

Von Zeit zu Zeit bittet er Schose zu Besuch. So nennt er die Berichterstattung. Jetzt blühen die Rosen in den breit angelegten Beeten. Sie sind nicht zu übersehen. Ein Gärtner pflegt die Rosen, Schose grüßt ihn: Paul Äschler, den ehemaligen alten Arbeitslosen.

Das Dienstmädchen hat die Tür geöffnet, ein Dienstmädchen aus Österreich. Schose wird hereingebeten. Er wartet in der Halle auf Hügli. Am Boden stehen Rosen.

Was hat Schose heute zu berichten?

Hat er einen Verdacht? Er ist angehalten worden, verdächtige Leute zu melden. Der Mann mit dem VORWÄRTS in der Tasche: ist er nicht vielleicht Sozialist?

Schose weiß es nicht genau. Viele Leute tragen Zeitungen mit sich herum.

Und wie stehts mit den andern? Hat Schose vor Jahren Verbindung mit einem gewissen Reubell gehabt? Ja, das läßt sich nicht leugnen. Reubell arbeitet in Amerika. Der Krieg ist zu Ende. Sogar ein Land wie die Schweiz darf die Grenzen öffnen.

Hügli betrachtet die Asche seiner Zigarre, während Schose redet.
Reubell, Katz, Neunfinger, alle sind verdächtig.
Was soll man von Neunfinger sagen? Er ist, wie Schose, Angestellter des Arbeitsamtes; mit ihm gemeinsam betreut er die Italiener. Man kann sich auf Neunfinger verlassen. Seit einiger Zeit hinkt er; sonst hat er sich nicht verändert; noch immer trägt er zu seiner schwarzen Jacke einen passenden Hut mit breiter Krempe. Neunfinger bleibt stehen, wo Kinder spielen. Als Angestellter des Arbeitsamtes hat er Zeit, Kinder zu beobachten. Sie hüpfen von ihrer Spielhölle in den Spielhimmel. Die Kreide stehlen sie in der Schule; auf dem rauhen Verputz der Spitalmauer nützt sie sich rasch ab. Ob die Lehrerin nichts merkt? Vielleicht bekommt sie von der Einkaufszentrale die Kreide in Hunderterschachteln geliefert?
Neunfinger mischt sich nicht ein; er läßt die Kinder spielen. Er wohnt in der Äußeren Enge, in der Straße mit den neuen Mietshäusern, mit den vielen Kindern. Er kennt ihre Abzählverse, er kennt ihre Verstecke. Er weiß, daß sie für ein Rot-Kreuz-Patenkind Geld zusammenlegen.
Neunfinger liebt seine Straße.
Die Äußere Enge ist eine Ringstraße, wenig über Flußhöhe. Im Sommer ist es hier heiß und windstill. Das Licht blendet; die jungen Ulmen geben wenig Schatten. Es riecht nach Spital.
Äußere Enge zwölf ist auch Schoses Domizil. Schose und Neunfinger sind Untermieter in einem vor dem Krieg erbauten Haus. Der Zins ist niedrig; Altwohnungen unterliegen der Preiskontrolle.
Ein Angestellter des Arbeitsamtes verfügt über wenig Geld. Er muß seinen Lohn sorgfältig einteilen. Er hat im Schrank, unter der Leibwäsche, Briefumschläge liegen: Miete, Strom,

Versicherungen, Kleider, Essen, Diverses. Ein solcher Angestellter hat Mühe, eine seinen Möglichkeiten angepaßte Wohnung zu finden. Er beachtet die Hausordnung; sie ist im Korridor aufgehängt. Lichter brennen lassen, Türen schlagen, jede Ruhestörung, namentlich lautes Radiohören und Singen nach einundzwanzig Uhr ist untersagt.

Der Angestellte des Arbeitsamtes wird keine Tiere halten. Sein Hausmeister darf gewiß sein, einen ordentlichen, anständigen Menschen aufgenommen zu haben. Der Zins wird am Ersten des Monats fällig. Er wird vorschüssig bezahlt. Schoses Zimmerwirtin leidet an einer Magenkrankheit. Die Regale ihrer Speisekammer sind leer, der Herd ist geschlossen, der Tisch wird selten benützt.

Im Wohnzimmer liegt, auf einem Stapel illustrierter Modehefte, ein Fernglas. Die Lederhülle ist mit violettem Samt ausgeschlagen.

Schose benützt das Glas oft. Er hat ein Stück Straße, ein Stück Mauer und mehrere gegenüberliegende Fenster vor sich, wenn er im Bett liegt. Es kommt vor, daß er daran denkt, die Stadt heimlich zu verlassen. Er möchte aufs Land ziehen. Er fühlt sich hinter dem Vergrößerungsglas gefangen. Nach einer Weile schmerzen seine Augen. Ja, hinaus, weg von allem aufs Land, weshalb nicht nach Schweden?

Dann klopft die Kapsel an die Tür.

Kapsel ist der Name der Wirtin. So rufen sie ihre Freunde. Vor Jahren war sie das Modell eines Malers. Er hat sie oft mit einer Büchse in der Hand dargestellt. Damals war ihr Spitzname Pandora.

Die Kapsel klopft und öffnet die Tür.

Schose sagt: Wie spät ist es?

Er hat geschlafen. Die Kapsel ist nie vor elf Uhr zurück.

Wenn sie nach Hause kommt, schließt sie die Fenster. Es

riecht nach Benzin im Zimmer und nach Essen aus fremden Küchen. Den Geruch erträgt sie nicht. Manchmal sitzt sie lange auf dem Bettrand und kämmt sich ohne Spiegel. Zuweilen sagt sie Ja; oder: Wie scheußlich ich aussehe, und Schose lehnt sich zurück, die Arme unterm Kissen verschränkt.

Die Diele ist weiß getüncht und mit Stukkaturen eingefaßt. Das Weiß macht ihn schläfrig. Er hört auf die Geräusche im Badezimmer. Die Kapsel nimmt ihre Pillen: sie ist für ihre vierzig Jahre zu mager. Vielleicht ist sie sehr krank.

Wenn Schose erwacht, steht das Fenster wieder offen. Er sieht, ohne den Kopf zu heben, die Schwalben.

Die Kapsel liegt neben ihm. Mit dem linken Fuß berührt er ihr Bein; es ist warm. Ihr Rücken ist warm. Er sieht ihre Wange; er versucht, sich ihr Gesicht vorzustellen. Sie hat ein wildes, zu mageres Gesicht, dunkle, ebenmäßige Brauen, dunkle Augen, bläuliche Schatten unter den Augen. Man denkt an Diät, wenn man ihr Gesicht sieht. Man spürt die Kraft in dem Gesicht, eine Kraft, die vom täglichen Verzicht auf ein Stück Schokolade, auf einen Teller Nudeln genährt wird. Zu einem solchen Gesicht passen ihre Geschmeidigkeit und ihre Hände, die Feuerzeug und Zigarette gleichzeitig zum Mund führen, während schon der Rauch durch die gespreizten Finger dringt.

Und wie leise ihr Lachen ist. Sie lacht nicht für die andern. Schose begleitet sie zuweilen ins Kino. Sie haßt komische Filme; Laurel & Hardy im Bellevue will sie sich nicht ansehen.

Jetzt, am Morgen, schläft sie tief. Sie erwacht, wenn Schose aufsteht. Von der Liebfrauenkirche schlägt es sieben.

Die Mütter gehen zur Arbeit. Sie rufen nach ihren Kindern; sie hängen ihnen den Wohnungsschlüssel an einer Schnur um den Hals.

Die Äußere Enge ist ein armes Quartier. Nachts ist es hier still. Der Morgen ist laut; sieben Uhr, Zeit, mit Neunfinger den «CATALAN» abzufangen. Der neue Schub Fremdarbeiter wird eingewiesen. Heute kommen dunkelgesichtige, kleingewachsene Piemontesen.

Im Korridor riecht es um sieben, wenn Schose und Neunfinger das Haus verlassen, nach dem Reisschleim der Zimmerwirtin.

Während der Arbeit raucht Schose.

Du rauchst zuviel, sagt Neunfinger zu ihm. Du, mit deinem kaputten Herz.

Schose raucht Parisiennes, die Zigarette der Kapsel. Er hat sich an die Marke gewöhnt. Er verlangt im Kiosk die hohe Schachtel, die gelbe, hohe Schachtel. Nicht überall wird sie geführt. Eine flache Schachtel verkauft sich leichter. Sie ist besser in der Tasche unterzubringen. Wer die hohe Schachtel kauft, tut gut daran, diesen Umstand zu bedenken. Hin und wieder hat Schose versucht, die Marke zu wechseln. Man hat ihm Brunettes angeboten. Champion-Filter, eine Gitane; er kehrt doch wieder zur Parisienne zurück. Die Parisienne schmeckt ihm besser, das ist alles. In den Zeitungen sind ganzseitige Anzeigen neuer Tabake zu finden. Auf den Bildern stehen hübsche Mädchen neben energischen Männern. Die Männer beobachten mit kühlem Blick einen Sportwagen oder eine noch verschalte Brücke; sie halten eine Zigarette in der Hand. Die Mädchen lachen den Leser an. Parisienne verzichtet auf eine solche Reklame. In der Zeitung wird von ihr zu wenig Aufhebens gemacht.

Sie ist eine Arbeiterzigarette, zu locker gestopft, so, als hättest du sie selbst gedreht.

Wirklich: Feuchtigkeit erträgt sie nicht.
Wenn es regnet, wirft Schose die Zigarette weg. Er führt die Italiener über den Kanal zur Kantine. Sie beobachten ihn. Die Reise hat sie stumm gemacht. Sie warten im Regen. Ihre Koffer quellen in der Nässe auf.
Drinnen setzen sie sich auf den Boden, trinken aus Blechgeschirren heißen Kaffee und fangen an zu reden.
Zeit für Schose, eine Parisienne zu rauchen.
Du wirst krank werden, sagt Neunfinger. Mach nur so weiter, Kollege.
Die Namen der Fremdarbeiter werden ausgerufen. Immer zu dritt verlassen sie das Amt. Ihre Arbeitgeber sind telefonisch verständigt worden; ungeduldig erwarten sie die neue Kraft.
Zu viele Aufträge, zu wenig Personal! Was kann man machen? Die Banken sind nicht großzügig genug. Wir benötigen Kredite, Maschinen. Die Welt ist im Aufbau begriffen. Mehr Maschinen, weniger Personal, das müßten sich die Banken merken!
Die Mittagspause des Arbeitgebers ist kurz.
Die Italiener schreiben eine Karte an ihre Frau: Ich arbeite für die G. M. Ich baue Baracken. Wir haben nur eine kleine Siesta. Wir müssen immer ganz rasch essen.
Sie sind glücklich, sie sitzen an der Sonne, kauen Brot und Salami.
Schose und Neunfinger gehen manchmal über Mittag nach Hause.
Die Kapsel liest Ferienprospekte. Wo soll man hin? Ans Meer? In die Berge? Im Oberland regnet es oft Ende August; das bestätigt der Nachrichtensprecher von Beromünster.
Seine Stimme tönt aus den offenen Fenstern.
In der Äußeren Enge ist das Ulmengrün stumpf gewor-

den. Die Thujahecke steht grau vor den Spitalmauern. Über Mittag ist die Ringstraße verlassen. Ein Velofahrer klingelt unter Neunfingers Balkon. Ein Fußgänger ruft seinen Hund: Da, komm her, Karo, da, bei Fuß!
Neunfinger sagt Kollege zu Schose.
Schose hat keine Freunde.
Kollege, die Sirene! Wir kommen zu spät.
Am Nachmittag ist es Neunfinger, der Schose zur Arbeit holt. Er klopft an die Tür.
Ja, ruft die Zimmerwirtin, Augenblick. Gleich darauf öffnet Schose die Tür.
Gehen wir, sagt Neunfinger, ohne ihn anzusehen.
Wie lange die Nachmittage im Arbeitsamt sind. Listen werden nachgeführt, Atteste, Zeugnisse, Arztberichte. Die Polizei hat am Vorabend einen gewissen Emilio Casella, einen Arbeiter aus Turin, verhaftet.
Unzucht mit einer Schweizerin! Dieses Pack!
Wir geben den Maisern die Möglichkeit, gutes Schweizer Geld zu verdienen, und was machen die? Sie hängen sich an die Schürzen unserer Mädchen. Manchmal sind es hübsche Burschen, dunkelhaarig, schlank, was weiß ich, mit einer Gitarre, und schön singen können sie alle. Denen fällt es nicht schwer, einer armen Tochter den Kopf zu verdrehen. Aber drunten, im warmen Süden, wie sieht es da aus? Frauengejammer, Kindergeschrei, eine schmutzige Hütte.
Maiser! Der Beamte macht eine Faust. Wir sehen ihnen auf die Finger, darauf könnt ihr euch verlassen.
Unser schönes Schweizergeld! Unsere Berner Töchter. Wenn ich einen Maiser mit einer Berner Tochter erwische, bringe ich ihn um.
Der Bericht des Beamten wird zu den Akten genommen.
Das Italienerproblem! Auch die höheren Beamten des Ar-

beitsamtes sind voller Sorge. Es wird nicht einfach zu lösen sein. Wir warten ab. Wer hätte nach dem Krieg einen derartigen Aufschwung erwartet? Wir sind überrascht, wir sind überrannt worden.

Sie finden Wörter, um die neue Sachlage erklären zu können: Wirtschaftsexplosion, Trusts, blockfreie Interessenverbände. Ihr ausgeprägtes Mißtrauen gilt einer Gruppe von Leuten, die sie Spekulanten nennen.

Im Bausektor hat die Schweinerei angefangen! Mit den Bodenpreisen! Aber die Krise wird nicht ausbleiben. Sie wird nach dem stürmischen Wachstum um so schrecklicher sein. Unsere Söhne werden dereinst die Weitsicht ihrer Väter loben, die dem Beamtenberuf treu geblieben sind.

Um halb sechs schließt das Arbeitsamt. Der DIAMANT-EXPRESS wird erwartet. Schose bleibt auf dem Posten. Neunfinger begleitet ihn zum Bahnhof. Manchmal gehen sie zusammen in den ersten Stock hinauf, ins Fundbüro.

Was wünschen die Herren? fragt der Bahnangestellte hinter dem Schalter, oder er sagt auch: Schön, daß ihr uns wieder einmal besucht.

An diesem Abend steht ein junger Mensch an der Theke.

Herr Kramer ist wohl nicht zu sprechen?

Herr Kramer ist krank, sagt der Angestellte; ich vertrete ihn. Womit kann ich Ihnen dienen?

Ich habe etwas verloren. Ich möchte wissen, ob es gefunden worden ist.

Um was handelt es sich?

Um das Schützenabzeichen eines amerikanischen Soldaten. Ein Schlüssel müßte dran hängen. Aber vielleicht ist er verlorengegangen. Die Medaille ist ein Anhänger.

Der junge Angstellte holt eine Schachtel aus einem der Schränke.

Sehen Sie selbst: Schlüssel, nichts als Schlüssel. Man könnte

meinen, die Leute haben nichts Besseres zu tun, als ihre Schlüssel liegenzulassen.
Die wenigsten werden abgeholt.
Schoses Medaille ist nicht in der Schachtel.
Der Angestellte schüttelt den Kopf.
Tut mir leid. Vielleicht kommen Sie später nochmals vorbei.
Um 21 Uhr 04 trifft der DIAMANT ein, der Sonderzug von Domodossola, jeden Montag, Dienstag und Mittwoch.
An den andern Tagen gehen Neunfinger und Schose schon um sechs nach Hause.
Neunfinger sitzt auf dem Balkon. Er hat seinen Tisch auf den Balkon getragen. Schose, in der Wohnung gegenüber, steht am offenen Fenster.
In der Nacht ist die Äußere Enge nicht lauter als eine andere Vorortstraße. Hin und wieder ein Taxi oder der Krankenwagen; um elf Schichtwechsel im Spital. Die Schwestern eilen unter Schoses Fenster vorüber. Sie umgehen und überholen die Liebespaare; noch in der Ferne ist ihr Gelächter zu hören. Da, wo sich das Licht der Laternen in einem bewegten Schattengeflecht auflöst, bleiben die Liebespaare stehen.
Liebst du mich, Emilio?
Liebst du mich wirklich?
Zeig, daß du mich liebst.
Langsam, eng verschlungen, gehen sie weiter.
Schose wartet auf die Kapsel. Er könnte in der Küche warten. Er ist nicht hungrig. In der Küche fände er Eier; Käse wäre da, Wurst und eine in Pergament gewickelte Gurke. Auch Milch. Die Kapsel trinkt oft Milch.
Schose erwacht, wenn sie nachts in die Küche geht.
Er hört, wie sie mit dem Boilerwasser ihr Glas vorwärmt. Bei einem Mischverhältnis von dreißig Grad dröhnt die Wasserleitung.

Wenn Schose durstig ist, bittet er die Kapsel, ihm eine Flasche Bier zu bringen, obwohl sie es nicht mag, daß er Bier trinkt. Sie küßt ihn nicht gerne, wenn er Bier getrunken hat. Sie gibt sich Mühe, leise aufzustehen.

Sie setzt sich in der finsteren Küche auf ein Taburett.

Der Tisch ist mit einem weißschwarzen Inlaid überzogen; das Tropfbrett wirft einen Schatten. Man denkt an einen Stierkopf; an zwei Stellen wird er von Wasserleitungen durchbohrt. Unterhalb der Schatten fehlt eine Kachel in der Wand. Nachts sieht man es nicht, aber man weiß, daß alle Kacheln beschädigt sind.

Wie kalt die Fliesen sind. Nirgends hört man Radio. Was bringt Hilversum heute nacht?

Noch ein Glas Milch! Die Magenschmerzen sind weg. Wovon habe ich geträumt? Von einer Landschaft, glaube ich. Von Flugzeugen, die ganz offen waren, komisch.

Die Kapsel ist müde. Sie hat kalte Füße. Sie spült das Milchglas. Sie stellt es in den Schrank zurück.

Hast du mich gehört? fragt sie Schose am Morgen.

Wie scheußlich ich aussehe.

Sie sitzt auf dem Bettrand und bürstet ihr Haar.

Schose hat geschlafen. Jedenfalls sagt er das.

Die Kapsel findet es hübsch, wie er sie anlügt. Eine Minute lang bleibt sie still, dann greift sie wieder nach der Bürste.

Schose erzählt, was er geträumt hat.

Ich träume oft von Hunden, weißt du. Oder ich träume von einem Fest in einem unbekannten Haus. Ich trage einen Kranz aus roten und grünen Blättern um den Hals.

Die Kapsel lacht. Sie hat nicht zugehört. Sie hat ihr Haar hochgesteckt.

Schose wird seinen Traum Neunfinger erzählen.

Neunfinger ist geduldig. Er träumt nicht. Er hörts gern, wenn andere von ihren Träumen reden.

Du bist wie Dolores, sagt Schose. Auch Dolores hat sich die fremden Träume erzählen lassen. Sie hat in einem Buch Erklärungen gesucht. Tust du das auch?

Neunfinger schneuzt sich. Er zieht die Zeitung aus der Rocktasche. Er hält sie so, daß Schose mitlesen kann.

In erschreckendem Ausmaß häufen sich bei uns die Unzuchtsfälle. Öfter als uns lieb sein kann, sind Italiener daran beteiligt. Dennoch sind wir aus volkswirtschaftlichen Erwägungen nicht mit dem Vorschlag des Landboten einverstanden, der in der vergangenen Woche dafür plädiert hat, auch Frauen und Kinder der Fremdarbeiter in unserem Lande aufzunehmen. Vielmehr erwarten wir von der Polizei besseren Schutz durch eine ausgebaute Überwachung aller ausländischen Arbeiter.

Neunfinger ist imstande, die Seite zu wenden und gleichzeitig Schose zu ermuntern, weiterzumachen.

Was sagst du? Wie hat der Kranz ausgesehen?

Er war aus ganz breiten Blättern, und die Blüten sahen aus wie Trompeten.

Neunfinger räuspert sich. Er liest die Inserate. Ein Terrier wird gratis abgegeben, ein Abendanzug ist zu verkaufen.

Schose erzählt, daß der Salon Ledermann ein Schild ausgehängt hat; ein offenes Barbiermesser über einer Schere.

Neunfinger lernt jetzt auch Wolf kennen, den Velohändler.

Neunfinger hat einen Apfelkern zwischen den Zähnen; Neunfinger weiß, was passieren kann, wenn man zu lange wartet. Man bekommt eine Blutvergiftung. Er hat es schon erlebt; eine Fischgräte hat ihn vor Jahren beinahe das Leben gekostet. Diese Operation vergißt er nie.

Es ist wirklich so, daß die Schwestern im Spital vor dem Schlafengehen Lindenblütentee kochen. Sie trinken den Tee in der Etagenküche oder im Labor. Neunfinger kennt den Widerschein des blauen Nachtlichtes auf dem Inlaid der Treppe, in den Fenstern, im Glas der Lithos an den Wänden. Er hat in der Allgemeinen einen Kollegen gehabt, einen gewissen Äschler.

Bist du heute im Spitalgarten gewesen? hat Äschler immer wieder gesagt. Wie stehts mit den Rosen?

Sie haben die Pink Grootendorst zusammen mit Rosa centifolia in ein Beet gesteckt. Und ringsum Buchs, die Centifolia erst im Frühling. Jetzt blüht sie ihnen nicht einmal.

Das Wetter ist zu trocken, sagen die Schwestern.

Sie haben keine Ahnung von Rosen, keine Ahnung.

Neunfinger denkt gerne an Äschler zurück. Er ist ein guter Kollege gewesen, ein zuverlässiger Jasser.

Wie gehts, hat man ihn gefragt, und er hat gesagt: Wenn ich hier einmal herauskomme, wechsle ich den Beruf, darauf könnt ihr Gift nehmen. Ich werde Chinchillas züchten.

Neunfinger mit seinen Erinnerungen.

Erst die Sirene auf dem Dach der Speditionsfirma bringt ihn wieder zur Vernunft. Er faltet die Zeitung zusammen und steckt sie in die Tasche.

Hast du die Chinchilla-Anzeige gelesen?

Eine Art Kaninchen; es hat einen feinen Pelz. Man müßte draußen wohnen, im Vorort. Sie fressen Heu, genau wie Kaninchen.

Chinchillas! Schose schüttelt den Kopf. Du hast mir überhaupt nicht zugehört.

Er ist aufgestanden.

Er sagt: Komm, wir gehen.

Der Asphalt ist weich.

Wie Erde, sagt Neunfinger. Wenn ich Gärtner gelernt hätte, würde ich dabei bleiben. Ich bin gerne im Freien.

Schmutzige Hände machen mir gar nichts aus. Ich würde mit Vergnügen Granitplatten legen und Trockenmauern bauen. Die Platten werden auf Sand gelegt; das habe ich neulich irgendwo gehört.
Sie überqueren die Straße hinter einer klingelnden Trambahn.
Schose streift ihn mit einem raschen Blick: wie alt Neunfinger aussieht. Ein zerfurchtes, unsauber rasiertes Gesicht unter einem schwarzen Hut. Schwarze Weste, schwarzer Kittel. Ohne die schwarzen Sachen wäre Neunfinger jetzt schon ein Vagant. In drei Jahren wird man ihn vor einem kleinen Pflümli im Café Madrid finden, strickend oder schlafend. In drei Jahren wird er nicht mehr zuhören, wenn man ihm eine Geschichte erzählt. Alte Leute kommen mit ihren eigenen Geschichten nicht mehr zurecht.
Plötzlich packt Schose Neunfinger am Arm: der offene Wagen ist weg, noch ehe Neunfinger ihn bemerkt hat. Der Fahrer dankt mit einer Handbewegung.
Ein neuer Studebaker! Sich einen solchen Apparat zu leisten!
Übrigens, ich mache mit, sagt Schose. Die Chinchillas, das gefällt mir. Wenn mans mit der Pflege genaunimmt, kann nichts passieren.
Neunfinger mault. Zwischen zwei Fahrrädern spuckt er an die Betonmauer. Das macht er jeden Mittag vor Arbeitsbeginn. Nur keinen Kropf bekommen. Nur nicht am Dreck ersticken. Die Sache mit den Kaninchen vergessen wir lieber. Nicht im Traum denke ich an Chinchillas.
Ein alter Mann hat seine Gewohnheiten; er ändert sich nicht mehr.
Schose hat keine Bedenken, vor seinem Bewährungshelfer, Herrn Fürsprecher Hügli, über Neunfinger zu reden. Er sitzt ihm gegenüber, in der Halle des von Oberst von Fel-

lenberg erbauten Hauses. Auch der Chauffeur ist anwesend, in Uniform; vielleicht will Herr Hügli ausgefahren werden.
Schose erinnert sich an den Mann. Er hat im Brandmoos gesehen, wie sicher der Chauffeur den Wagen im Rückwärtsgang parkt; ein Blindfahrer, der Kerl.
Das Gespräch langweilt den Chauffeur. Er hat eine Fotografie aus der Tasche gezogen und sie nachlässig zerrissen. Jetzt nimmt er die Fetzen achtsam, einen nach dem andern, aus dem Aschenbecher. Keiner soll kommen und versuchen, sie mit Scotch zusammenzuleimen. Der Chauffeur ist ein vorsichtiger Mensch.
An diesem Nachmittag wird Schose einem jungen Mann vorgestellt, dem Sohn seines Vormunds. Er heißt Sam. Er wohnt im Haus. Er führt Schose durch den Park. Die Wege sind mit einem besonderen Belag aus Asphalt und Bitumen gedeckt. Dazwischen liegen weite Rasenflächen, Baumgruppen, Rabatten und Beete: Rosenstöcke, Rosenbäumchen und unter Rosen das Haus mit geschlossenen und mit offenen Fensterläden.
In Sams Zimmer sind ein Bett, ein Tisch, ein Stuhl, eine Kommode. Die Schubladen der Kommode stehen leer. Verschraubte Rohre erinnern daran, daß der Heizkörper, der jetzt unterm Fenster steht, früher hinter der Tür stand. Die Villa wurde vor der Revolution 1798 von gottesgnädigen Berner Ratsherren gebaut.
Sam sagt, die Aussicht sei entzückend. Schose spürt die trockene Hitze des Steins und die gärende Hitze des gesprengten Rasens. Er steht am Fenster. Überm Dunst in der Senke zwischen dem Fluß und dem gegenüberliegenden Hang liegt die Altstadt: Häuser, Mauern und Türme.
Unterm Wehr, vor der zerfallenen Anlegestelle der Sand und Kies AG arbeitet ein neuer Doppellenker-Wippkran.

Die Sandbänke des Aare-Griens sind trocken; über der Mattenschleuse steht das Wasser in einem breiten, grünen Band, bevor es sich im Strudel zu Gischt auflöst. Fischerkähne liegen am betonierten Ufer oder sind längs des Weges und zwischen den Hütten festgemacht. Krähen folgen den Kanalisationsröhren flußabwärts. Es ist schön, dort am frühen Morgen spazierenzugehen.

Die Kapsel hat ihm die Wanderwege gezeigt; sie liebt es, in der ersten Dämmerung draußen zu sein.

Später gehen sie zusammen ins Madrid. Von den Auslagen sieht man nur das oberste Regal: staubige Flaschen und zwei mit Ölfarbe bemalte, hölzerne Schweine. Zwischen blinden Schaufenstern springt der gelbgepuderte Eckstein vor.

Am frühen Morgen ist die Wirtschaft leer. Auf dem Schanktisch steht das ungespülte Geschirr vom Vorabend. Schon hört man den Wirt keifen. Nach einer Weile kommt er aus seiner Nische hervor, das Gläsertuch in der Hand.

Der Wirt ist ein Supporter der Berner Fußballer: Young-Boys sind Tabellenerste; sie haben alle Aussicht, Cupsieger zu werden, vorausgesetzt, daß im Heimspiel zwischen Servette und Biel die Jurassier siegen.

Verstehst du etwas von Fußball? fragt Schose.

Sam lacht.

Fußballer sind auch nur Menschen. Man kann sie kaufen. Man kann sie vor Gericht stellen. Man kann sie laufen lassen. Einige sind in Ordnung, einige sind vorbestraft, Geldbußen, Mahnungen, was weiß ich. Vierundzwanzig zwei Drittel Prozent sind noch unbestraft. Statistik. Wer von ihnen die Gemeinde verläßt, braucht eine Bescheinigung der Steuerbehörde. Wer einen Paß erwirbt, muß den Heimatschein besitzen. Er hinterlegt seine Aufenthaltsbewilligung.

Hereinspaziert, die Herrschaften! Das Amthaus steht Ihnen offen.
Sam hat Bier geholt. Vier Büchsen stehen auf dem Tisch. Zwei sind offen, die dritte hat er eben geleert, die vierte ist noch geschlossen. Mit dem Büchsenöffner schlägt man zwei Löcher in den Deckel. Kronenbourg, Neunfingers Sonntagsbier!
Kronenbourg ist das Beste. Im Winter wärmt es, im Sommer löscht es den Durst. Schade, daß du kein Bier mehr trinkst, Kollege.
Am Sonntag hört Schose mit Neunfinger den Radiobericht. Reporter Sutter hat eine heisere Stimme. Das Wetter in Zürich ist regnerisch, sagt er. Die zehntausend Zuschauer haben Regenschirme mitgenommen.
Die Zuschauer sind zu hören. Sportsfreunde veranstalten einen Sprechchor und schwingen Kuhglocken. Sportsfreunde verstehen sich. Sie sind auf ein und dieselbe Zeitung abonniert. Sie drängen sich vor dem Anpfiff gemeinsam durch die Drehkreuze. Ein Wort genügt, eine Bemerkung während des Spiels, ein Vorbeugen, ein tiefes Einatmen, ein gemeinsamer Empörungsschrei. Sportsfreunde lassen sich nichts vormachen. Wenn ihnen der Fußballkommentar nicht zusagt, schreiben sie dem Redaktor einen gemeinsam unterzeichneten Brief. Sie vertreten eine feste Meinung; sie schützen die Rechte des einfachen Bürgers.
Unser Wankdorf, ein wahrer Augenschmaus für Sportsfreunde, flüstert der Reporter ins Mikrofon. Er hat sich am letzten Wochenende in Davos erkältet; er bittet seine Zuhörer um Entschuldigung.
Sportsfreund Neunfinger erscheint an Sonntagnachmittagen mit seiner Kronenbourg-Büchse bei Schose, um den Matchbericht zu hören.
Die Kapsel ist nicht da. Sie arbeitet auch am Sonntag. Ihre

Wirtschaft kennt im Sommer keinen Ruhetag. Die Kapsel hat neuerdings noch den Garten zu betreuen. Jeden Sonntagabend ist sie müde. In der Schnellgastecke beim Dreifaltigkeitsbrunnen trinkt sie nach Feierabend zwei Glas Milch. Am Sonntag findet man da keinen Sitzplatz. Sie trinkt ihre Milch stehend. Den Beutel mit ihrer Schürze und den Kassenstreifen gibt sie nicht aus der Hand. Am Montag wird abgerechnet. Sie hat dem Wirt vorgeschlagen, ein italienisches Kaffee aufzumachen, ein Kaffee mit italienischen Spezialitäten, eine Pizzeria vielleicht; den Italienern müßte der Zutritt verboten werden, versteht sich.

Wenn sie endlich nach Hause kommt, ist Neunfinger weg. Auf dem Tisch steht seine Bierbüchse; Schose hat vergessen, sie wegzuräumen.

Das Fenster ist offen. Die Straße ist ruhig. Sonst spielen die Kinder nach dem Nachtessen Schuh-ab. Am Sonntag bleiben sie in den Gärten.

Man hört ihre Rufe, wenn sie den Ball aufwerfen: Uri! Unterwalden!

An der Marktgasse ist es nicht anders gewesen. Auch da gibt es die von Thujahecken umzäunten Gärten; die Mädchen machen ein Singspiel: Pas souris passera.

Aber vielleicht ist die Marktgasse inzwischen verbreitert worden? Ein solcher Plan liegt schon lange vor. Die Teppichklopfstangen sollen entfernt, die Rosenbeete beseitigt werden.

Im Brandmoos sind die Gärten größer. Steinegger beschneidet die Bäume, vor allem die Weiden. Sie nehmen den Blumenrabatten die Sonne weg.

Am Sonntag spielt Steinegger mit den Mädchen des Verwalters. Ihre weißen Röcke leuchten in der Dämmerung. Über dem Hof liegt ein Staubschleier. Die Zöglinge laufen

mit dem Ball. Die Mauer hat einen neuen grauen Fleck, da wo Steinegger Bes Namen ausgelöscht hat.
Wenn die Kapsel nach Hause kommt, schließt sie die Fenster. Es riecht nach Braten im Zimmer. Den Geruch erträgt sie nicht.

# 9

Sam arbeitet in der Agentur seines Vaters Eugène Hügli, des Vormundes von Amtes wegen, des Schutzaufsehers, des Bewährungshelfers. Sam ist stolz auf die Leistungen der Agentur.

Eines Tages zeigt er Schose ein Merkblatt. Auf dem Bild sieht man ein hochaufgerichtetes Tier vor einem gelben Hintergrund.

Der Text lautet: Legen auch Sie Wintervorräte an. Wir werden Ihnen in weiteren Mitteilungsblättern zeigen wie. Darunter steht: Achtung aufbewahren!

Die Gruppe Hügli hat das Plakat entworfen. Sam sagt: Die Gruppe, nicht: Mein Vater.

Zur Zeit bereitet die Gruppe eine Erweckungskampagne des amerikanischen Predigers Waugh Notham vor.

Ein Fürsprecher hat Erfahrung in solchen Dingen. Er ist Begleiter der Verwundetentransporte gewesen; er hat für den Kampf gegen den Hunger geworben. Er ist bestimmt Ehrenmitglied des Fußballclubs Bern.

Als Fachmann hat man mehr Spaß, sagt aber Sam. Er besteht darauf, daß Schose im Deutschen Lexikon nachschlägt, was über Fußball zu lesen ist.

Schose liebt es, Bücher anzusehen.

Manche haben angenehmes Papier. Sie duften nach irgend etwas.

Dolores hat nur Bilderbücher gelesen.

Zwanzig Illustrationen, steht auf dem Schutzumschlag, davon sechs farbig.

Im Schachlehrbuch ist vermerkt: mit einem Porträt des Weltmeisters. Dolores hat sich an der Fotografie nicht sattsehen können: Gideon Roth mit einem Béret-basque.

Im Lexikon hingegen sind die Illustrationen in Tafeln zusammengefaßt; im Register muß die zum Text gehörige Tafel ermittelt werden. Über Fußball erfährt man nichts, was einem hilft, Fachmann zu werden.
Fußball ist ein Spiel zwischen zwei Mannschaften aus je elf Spielern. Ein Hohlball aus Leder soll dabei durch Stoß mit dem Kopf, dem Fuß oder durch Körpereinsatz unter Vermeidung jeder Berührung mit Hand oder Arm in das gegnerische Tor [Breite 7,32 m, Höhe 2,44 m] gebracht werden, wobei der Gegner gleichzeitig beim Angriff auf das eigene Tor abzuwehren ist. Die Kleidung der Spieler besteht aus einer Hemdbluse, kurzer Hose, Strümpfen und Fußballschuhen. Diese haben verstärkte Kappen und Knöchelschutz und an den Sohlen befinden sich Klötze, die nicht höher als acht Millimeter und nicht schmaler als zwölf Millimeter sein dürfen. Auf unvorschriftsmäßige Kleidung steht Spielverweis.
Bei Matchbeginn begrüßen sich die Mannschaften. Hierauf losen sie die Spielfeldseite aus. Einer gewissen Berühmtheit erfreute sich während einiger Jahre der Schweizer Riegel. Die ersten Spielregeln des Fußballs wurden schon 1580 niedergelegt; erstaunlicherweise wurde jedoch das Fußballspiel erst 1910 im Deutschen Heer eingeführt.
Im Lexikon wird die Sache erklärt.
Gehört einer, der das Deutsche Lexikon studiert, schon zu den Eingeweihten?
Etwas fehlt ihm. Was ist es?
Die Anteilnahme! sagt Sam. Die Leidenschaft, die Begeisterung. Sie fehlt dir. Während des Spiels ist der Eingeweihte eins mit dem Stadion, er ist als einzelner dem Ganzen untergeordnet, verstehst du? Sobald er sich unterwirft, nimmt man ihn mit offenen Armen auf.
Disziplin, sagt Sam. Leidenschaft verlangt Disziplin.

An Disziplin fehlt es den Sportsfreunden nicht. Sportsfreunde sind genauso aktiv wie die Sportler selbst; aber sie haben mehr Disziplin. Sie halten sich still auf ihren Plätzen. Nur selten kommt es vor, daß sie ihre Beherrschung verlieren, dann etwa, wenn sie sich gegen einen Fehlentscheid des Unparteiischen wenden, oder wenn die Schiedsrichter ein Foul des Gegners übersehen. Sportsfreunde haben die beste Übersicht. Sie verfolgen das Spiel auf einer erhöhten Empore. Die Fehler ihrer Mannschaft enthüllen sich ihnen schon in den ersten Minuten.

Wolf, damals, hat anders geredet. Wolf kümmert sich um die Verlierer.

An der Soirée des Radfahrervereins hat er die Verlierer der Drei-Seen-Rundfahrt an seinen Tisch gebeten. Manchmal gewinnt einer in der Lotterie den ersten Preis. Welche Freude für Wolf am Glücksrad! Einen solchen Gewinner ruft Wolf noch auf die Bühne, wenn die Ehrendamen längst nicht mehr imstande sind, ein lautes Wort hervorzubringen.

Schose hat Sam von Wolf erzählt.

Die ausgedienten Radrennfahrer treffen sich in den Wintermonaten im Keller der Heilsarmee. Manche haben eine Stelle als Parkwächter. Sie tragen eine Schildmütze und sparen Geld, um sich später eine komplette Uniform kaufen zu können. Meist sind sie tot, bevor sie ihr Ziel erreicht haben, und man legt ihnen die Mütze in den Sarg.

Die Sterbekasse der Radfahrergesellschaft sorgt für eine anständige Beerdigung.

Was tun die im Keller Zurückgebliebenen?

Die Heilsarmee gibt ihnen eine Abendmahlzeit, einen Teller Suppe, ein Stück Brot und eine Ohrentasse Kaffee, alles pro Person für einen Franken. Außerdem üben die jungen Soldaten im Keller ihre Lieder; hin und wieder begleitet sie ein Posaunist; jedenfalls sind die Frauen mit ihrer Gitarre da. Die alten Rennfahrer singen mit. Manchmal schlafen sie über ihrem Teller ein; der Ofen ist immer zu heiß. Wolf liebt es, im Spätherbst seine Abende mit den alten Kämpfern zu verbringen, sagt Schose.

Sam hat ihm nicht zugehört.

Er sagt: Du bist ein Schnorrer. Wir haben in der Gruppe einen Fotografen gehabt, einen Rennfahrer, einen jähzornigen Burschen. Er hat das Eichhorn auf dem Bild fotografiert; er hat es im Naturhistorischen Museum geholt. Er hätte auch einen Hamster nehmen können oder ein Murmeltier. Nur, das Eichhörnchen ist hübscher als ein Hamster. Übrigens hat Hager den Fotografen nach einem Monat Probezeit hinausgeworfen. Kann sein, er ist auch ein Messerstecher gewesen.

Sam und Schose machen einen Umweg zur Druckerei. Sie gehen durch die dunkle Gartenallee. Am Tor brennt eine Laterne. Aus den Bäumen fallen die Blätter: sie taumeln durch den Lichtkreis; sie bedecken die Rosenbeete. Hat Schose früher je Rosen im Oktober gesehen?

An der Marktgasse, in der er aufgewachsen ist, wenn schon. Gibt es da noch die kleinen Rosengärten? Gewiß haben die Stadtgeometer inzwischen die Straßen asphaltiert. Fort mit den Teppichklopfstangen, fort mit den zerfressenen Jurasteinen an den Wegrändern. Ein schmaler Streifen Erde wird zugeschüttet. Der Oktober ist für solche Arbeiten die rechte Zeit.

Da standen auch Rosen zwischen den Oleanderbäumen. Schose erinnert sich nicht mehr genau. Die Gärten, das ist lange her. Hinterhöfe gab es genug. Dort stellt jetzt der Drogist alte Benzinfässer auf; er hat Seile gespannt, um Kinder, die hier spielen, abzuhalten. ZUTRITT VERBOTEN, BRANDGEFAHR! steht auf einer Holztafel.

Die Kinder an der Marktgasse kümmern sich nicht um Verbote. Die Jungen spielen Fußball oder machen Gleichgewichtsübungen auf ihren Fahrrädern; erst wenn es dunkel wird, fangen sie an, mit den Mädchen zu reden. In den Kriegsjahren ist oft schon im Oktober Schnee gefallen. Die Bauarbeiter haben sich vor dem Frost gefürchtet. Jetzt wollen sie keine Wintervorräte anschaffen. Sie sind träge, sie sind schläfrig.

Was soll das alles? denken sie. Die Schaufenster sind mit Reis und Salami vollgestopft.

Sam weiß es besser. Er geht mit Schose durch die Will-Passage. Der Hauswart hat die Tür der Druckerei abgeschlossen. Sam wirft sein Merkblatt in den Kasten für Dringlich-Sendungen. Schose wartet auf der Straße.

Niemand da, sagt Sam. Komm!

Sie gehen zusammen in die Toto-Bar. Sam geht jeden Tag hin, auch am Sonntag, wenn nicht gewettet wird. Der Barmann hat schon die Kassenbons mit den Einsätzen weggeworfen.

Am Sonntagabend ist nichts los. Sonntags reden die Barbesucher gern über ihre Löhne.

Sie erwarten eine Beförderung und zum Jahresende eine höhere Gratifikation. Spätestens Ende nächster Woche sind die Schwierigkeiten, in denen sie sich jetzt noch befinden, überwunden. Ein guter Werkzeugmacher verdient heute bestimmt tausennullhundertfünfzig Franken und ein Mechaniker mit Familie darf mit tausendzweihundert Franken rechnen.

Ein Arbeitgeber, der zu seinem Angestellten steht, ist viel wert. Er muß sich von unten emporgearbeitet haben, wenn er die Probleme des Betriebes beherrschen will.

Manchmal ist auch ein junger Mann in der Bar, einer, mit dem sich Sam unterhält, ein Mann seines Jahrgangs. Sie

reden zusammen über die Rekrutenschule. Jeden Dienstag und Donnerstag treffen sie sich nach dem Nachtessen auf dem Sportplatz Längfeld. Die Prüfungen finden Ende Oktober 1946 statt.
Ich trinke kein Bier mehr, sagt der junge Mann zu Sam. Bier schwächt den Organismus.
Wenn Sam ihn um Beweise bittet, schweigt der junge Mann. Es kommt vor, daß er plötzlich weggeht, als habe er eine wichtige Verabredung; eine halbe Stunde später kehrt er zurück, die Hände in den Taschen. Er setzt sich an einen andern Tisch und grüßt die Anwesenden.
Was darf es sein? fragt Lorettan, der Barmann.
Der junge Mann überlegt sorgfältig, ehe er seine Bestellung aufgibt: ein kleines Helles.
Nun, vielleicht ist heute nacht auch der Neger da? Er hat einen Song auf Tonband aufgenommen und die Spule dem Studio Bern zugeschickt. Schose mag den Neger nicht.
Er sagt zu Sam: Laß mich mit dem Neger in Ruhe. Der mit seinem Papagei. Meinetwegen soll er bei Sarotti arbeiten. Dort kann er singen und den ganzen Tag rauchen.
Schose raucht immer noch Parisiennes, die große Schachtel. Die Kapsel hat die Marke inzwischen gewechselt. Sie raucht jetzt Brunettes. Soll Schose vielleicht zugunsten der Brunette auf die Parisienne verzichten? Er ist entschlossen, ihr die Treue zu halten. Die große Schachtel braucht viel Platz, das ist wahr. Man ist beschäftigt, wenn man sie verstauen muß. Man kann sich mit ihr zu schaffen machen. Für Supporter, die nach Maß geschnittene Anzüge tragen, ist sie ungeeignet.
Schose legt eine Parisienne vor sich auf die Theke. Er nimmt sie auf und zündet sie an. Er legt das brennende Zündholz auf die Theke. Es raucht noch lange, wenn es schon aufgehört hat zu brennen.

Er bietet auch Supportern eine Zigarette an. Sie haben einen schlechten Tag gehabt; es gab zu viele Überraschungen in den Heimspielen. Supporter nehmen die Zigarette gerne; sie wollen nicht unhöflich sein. Sie haben Sorgen wie alle Leute.

Nur die Totogewinner hocken nachdenklich vor dem Glas. Sie tun, als spürten sie die Blicke der Supporter nicht. Sie nicken freundlich, wenn man sie grüßt.

Ich habe Glück gehabt, das ist alles. Das kann jedem passieren. Natürlich muß man die Sache auch mit Verstand anfassen. Ich behaupte nicht, daß ich vom Fußball nichts verstehe. Man muß Geduld haben können; man hat manchen Verlust einzustecken. Eines Tages ist er da, der Dreizehner.

Die Gäste erkundigen sich nach dem System des Gewinners. Er lächelt.

Ich habe kein System, und damit bin ich immer gut durchgekommen. Das Geheimnis ist: ich bin ein zufriedener Mensch. Ich will jetzt nicht zu sehr gefeiert werden. Laßt mich doch euern Freund bleiben, nicht wahr?

Wie gescheit der Gewinner redet!

Gewiß werden nicht viele Dreizehner ausbezahlt, mit all den Unentschieden, die der Sonntag gebracht hat: hundertfünfzigtausend Franken darf der Gewinner erwarten. Was wird er mit dem Geld anfangen?

Die Gäste wagen nicht, sich danach zu erkundigen. Man redet nicht gern von Geld.

Lorettan, noch eine Flasche Liebfrauenmilch!

Alle heben ihr Glas: Zum Wohlsein.

Die Zwölfergewinner setzen sich mit an den Tisch ihres glücklicheren Kollegen; da sind sie herzlich willkommen. Sie erzählen, wie sie ihre Totozettel ausgefüllt haben: rasch im Büro, vor dem Essen zu Hause, beim Jaß. Wer hätte aber auch einen Sieg von Servette erwartet? Niemand, das muß sogar der Dreizehner zugeben. Wäre seine Frau nicht gewesen, er hätte selbst hundert zu eins gegen Servette gesetzt.

Auf unsere Frauen, ruft er, Ex!

Auch die Supporter lassen sich nicht lumpen. Sie bestellen eine neue Flasche. Lorettan bringt Eis. Der kalte Weißwein macht Hunger. Um halb elf verläßt die Gesellschaft die Toto-Bar.

Ein paar alte Männer bleiben zurück. Sie setzen nur kleine Beträge; sie haben nie mehr als acht oder neun Punkte erreicht. In der Toto-Bar bleiben sie während der stillen Zeit an der Theke; nur selten wagen sie sich an eines der Tischchen vor. Wenn Lorettan sie gefragt hätte, was sie zu trinken wünschten, wären sie unschlüssig gewesen. Er hat sich daran gewöhnt, ihnen Bier zu bringen, ein helles, temperiertes Bier, eine Stange mit viel Schaum.

Manche tragen das gute Zeugnis eines verstorbenen Arbeitgebers in der Brieftasche. Es ist noch vor dem Krieg ausgestellt worden, und sie haben es, weil das Papier brüchig geworden ist, sauber in Zellophan eingeschlagen.

Sie sind gute Arbeitnehmer gewesen, gehorsam und treu, und sie fragen sich, was sie falsch gemacht haben könnten. Sie geben sich Mühe, den Fehler herauszufinden. Einen Fehler muß es gegeben haben. Ein unwiderruflicher Irrtum hat irgendeinmal die Hoffnung in ihrem Leben zerstört. Sie denken darüber nach.

Was ist passiert? Von einem Schicksalsschlag kann man reden, von dauerndem Unglück, von verschiedenen Härtefällen, von Zusammenbrüchen, die sich in einem Augenblick vollziehen und nicht wiedergutzumachende Schäden hinterlassen.

Jeder der alten Männer hat sich seine Geschichte zurecht-

gelegt. Die Geschichte verheimlicht das, was wirklich geschieht: das tägliche, langsame Altern und Absterben, das Müdewerden.
Es gibt gute Erzähler unter den Alten. Man spendiert ihnen gerne ein Glas Bier. Sam kennt sie alle mit Namen. Andere haben nie Glück. Sie reden, aber es gelingt ihnen nicht, sich Gehör zu verschaffen. Sie verpassen den richtigen Augenblick. Niemand hört ihnen zu.
Auch heute, am Sonntagabend, können die Alten kaum damit rechnen, einen Zuhörer zu finden. Die Bar wird schon um Mitternacht geschlossen. Zwei Liebespaare schmieden Pläne fürs nächste Wochenende. Lorettan leert die Aschenbecher. Der Schankbursche raucht eine Zigarette.
Wonach riecht die Toto-Bar an einem Sonntagabend im späten Oktober? Nach dem Neger, vielleicht?
Ein Togo, sagen die Gäste, wenn sie von ihm reden.
Der König von Togo, sagen die Gäste, wenn der Neger kommt.
Wie geht es dir am Hof von Togo?
Es geht gut, Dank für die Nachfrage.
Er spricht Mundart.
Von einem Neger, der berndeutsch spricht, erwartet man immer etwas Lustiges. In dieser Hinsicht ist der König von Togo eine Enttäuschung. Was er erzählt, ist nicht lustig. Die guten Erzähler haben von ihm manches gelernt: wie nützlich ist es, Briefe, Fotos, kleine Lederbeutel und ein Notizheft auf sich zu tragen! Dokumente beschwören die Vergangenheit, rufen Erinnerungen wach, stützen das Gedächtnis.
Sam mag den König von Togo. Es macht sich gut, in Bern einen Neger zu kennen.
Er sagt zu Schose: Laß den Neger in Ruhe. Komm mit ins Längfeld, da kannst du was sehen. Im Hochsprung ist er unschlagbar.

Sam bereitet sich auf die Rekrutenaushebung vor. Wer zu den motorisierten Truppen geht, muß eine gute Leistungsprüfung machen, vier Einser auf jeden Fall. Sam holt den Reckturnern Magnesium in der Turnhalle; nachts ist der Zutritt verboten. Die Aschenbahn ist beleuchtet. Wenn Sam durchs Fenster der Turnhalle einsteigt, steht Schose Schmiere.

Neunfinger sagt: Jetzt hast du Freunde. Paß bloß auf, daß dich der Hallenwart nicht erwischt.

Neunfinger steht oft auf der Kirchenfeldbrücke und sieht den Sportlern zu. Sie sehen von da oben hübsch aus in ihren Shorts, wie weiße Käfer auf grünem Grund.

Schose wird auch zu den Supportern eingeladen. Sie feiern ihre Feste am Freitagabend. Am Samstag gehen sie über Mittag in die Sauna.

Immer ist der Neger dabei. Man wird ihn nicht los. Die Frauen laden ihn ein.

Sie sagen: Er hat schwermütige Augen, dunkle, undurchsichtige Augen. Vielleicht hat er Heimweh. Warum tanzt er nicht? Der Neger macht alles falsch; es ist schon falsch, ihn überhaupt zu erwähnen.

Erst gegen Morgen geht das Fest zu Ende.

Richten Sie zu Hause unsere Grüße aus, sagen die Supporter beim Abschied.

Das werde ich tun. Der König von Togo verbeugt sich höflich.

Lassen Sie besonders die schönen Prinzessinnen grüßen.

Ich werde es auf keinen Fall vergessen.

Ich bin vor elf Jahren mal in Togo gewesen, sagt der Gastgeber. Er gähnt. Ich habe für eine deutsche Gesellschaft Versicherungen aufgenommen. Die Kommunisten wühlen in Ihrer Heimat! Passen Sie auf!

Der Neger sagt: Gut, sehr gut. Er lächelt.

Manchmal scheint er nicht zu verstehen, was man zu ihm sagt, obwohl er doch Mundart spricht.
Ein kleiner Aargauer, der das Gedicht «Die Schwabenstreiche» auswendig kann, beklagt sich auch über ihn.
Die Schwarzen sind alle gleich. Sie sind nicht zuverlässig. Denkt nur an die großartige Tierwelt von denen! Ein ganzer Kontinent, überlegt euch das! Großartig, sage ich, Natur! Aber die Schwarzen lassen sich alles von den Amerikanern kaputtmachen. Rückgrat fehlt. Organisation. Tatkraft.
Plötzlich sagen alle: Der Aargauer hat recht. Was hat einem an dem Kerl nur gefallen?
Der Togo wird nicht mehr eingeladen.
Ist das, was er erzählt, vielleicht lustig? fragt der Aargauer. Ist es vielleicht lustig, wenn einer sein Vaterland den Kommunisten vor die Füße wirft?
Manchmal kommt der Aargauer jetzt auch in die Toto-Bar. Er hat einen Dreizehnergewinner gut beraten; er ist ein gewiegter Bankfachmann. Das spricht sich rasch herum.
Wenn zufällig der Neger an der Theke steht, begrüßen sich die beiden höflich.
Wie geht es Ihrer Maschine? Kommen Sie vorwärts?
Sie soll nächstens patentiert werden, hoffe ich. Das erste Gesuch habe ich zurückgezogen, um den Prototyp zu verbessern; nun steht dem Erfolg nichts mehr im Weg.
Der Bankfachmann hebt sein Glas: Prosit!
Dem Tüchtigen die Bahn frei. Das Geld liegt auf der Straße. Es wartet auf die tüchtigen Kerle.
Der Aargauer lehnt sich vor. Die alten Biertrinker, Fünf- und Sechs-Punkte-Verlierer, sehen sich nach ihm um. Er ist aufgestanden. Er ist betrunken.
Gute Nacht, sagt der König von Togo.
Gute Nacht, sagt der Barmann Lorettan.

Gute Nacht, sagen die Alten.
Solange sie höflich bleiben, sind sie in der Toto-Bar geduldet.
Wenn ich Gute Nacht sage, macht ihr mirs nach, hat Lorettan befohlen.
Ihnen kann es recht sein.
Heute ist Lorettan nicht mit ihnen zufrieden.
Was ist mit euch los? Könnt ihr nicht munter werden. Der verdammte Alkohol! Ihr schlaft wohl? Ihr träumt mit offenen Augen.
Die Alten dösen über ihrem Bier.
Schose sagt zu Sam: Ich habe im Brandmoos einen Taubstummen gekannt. Er bekam ein Hausiererpatent, als er entlassen wurde. Er verkauft Spielzeugbären, Affen aus Plüsch und Gummifrösche. Du glaubst vielleicht, die Gehörlosen brauchen keine Freunde; aber das ist ganz falsch. Du meinst, Gehörlose sind nicht treu. Dabei sind sie genau so gut wie alle.
Halt den Mund, sagt Sam. Er hat nicht zugehört. Er langweilt sich am Sonntagabend.
Die Gäste langweilen sich, sagt Lorettan. Wenn er sich ärgert, findet er die Hitze im Lokal unerträglich. Er reißt die Fenster auf und öffnet die Tür. Geruch von Regen und feuchter Erde mischt sich mit dem Zigarettenrauch.
Der Togo stinkt, sagt Schose.
Klar, er duftet nicht gerade wie eine Berner Platte, du Idiot, sagt Sam.
Lorettan hat die Fenster geöffnet. Es riecht nach abgestandenem Rauch und nach feuchter Gartenerde in der Bar.
Wie unser Keller, würde Dolores sagen. Im Keller riecht es nach Äpfeln und nach Öl und nach Eingemachtem.
Dolores findet immer Gelegenheit, dem Gespräch eine andere Wendung zu geben. Sie hat einen jungen Mann ge-

kannt, der am Radio arbeitet. Wenn sie nicht weiter wußte, redete sie von ihm.

Sie sagte: Was glaubt ihr, wie die Spielleiter Regen machen? Ihr werdet es nicht erraten. Sie lassen Erbsen in ein Tamburin. Im Radio hört es sich dann wie Regen an. Ist das nicht erstaunlich? Ich habe gehört, in Deutschland macht man es nicht mehr so. Aber bei uns: der Regen trommelt an ein Fenster; dann kreischt die Speichertür in ihren rostigen Angeln, und die Speisewirtin sagt ins Mikrofon: Wie das draußen wieder tut!

Der junge Mann, Dolores' Freund, hat an einer Gotthelfsendung den Steffen gespielt. In der Zeitung heißt es, Gotthelf sei ein guter Schriftsteller gewesen, keinesfalls ein kommunistischer Vorläufer, wie man zuweilen höre, auch wenn die menschliche Natur sein Thema sei.

Der Redaktor der Zeitung ist aber gegen die Radiosendung.

Studio Bern macht sich die Sache zu einfach, schreibt er. Die dramatischen Höhepunkte werden gebracht. Dann ein Zwischentext, ein Stichwort, ein Regenguß ans Fenster, eine Tür, die in den Angeln knarrt. So wird die Moral überspielt.

Und so geht es nicht! Ohne Fleiß kein Preis. Gotthelf muß wieder gelesen werden!

Aber auch die Radiohörer sind von ihrem Recht überzeugt. Gotthelf hätte nichts gegen die Radiobearbeitung, sagen sie. Er steht auf unserer Seite! Das spürt man einfach. Gotthelf hätte ebensogut Hörspiele wie Romane verfassen können. Stücke fürs Volk. Zufälligerweise hat er das nicht getan.

Die Kapsel zum Beispiel war nie mit dem Redaktor einverstanden.

Schose möchte nicht an die Kapsel denken.

Warum hat sie angefangen, ihre Zimmertür abzuschließen? Er hört sie nach Hause kommen; er wartet immer noch in der Küche, das weiß sie. Er sitzt in der dunklen Küche; vielleicht braucht sie doch einmal wieder ein Glas Milch vor dem Einschlafen? Jetzt geht sie in ihrem Zimmer auf und ab; sie hat das Radio angedreht. Sie sitzt auf dem Bett und raucht. Sie blättert in ihren Modeheften. Sie hat die Schuhe ausgezogen. Dann wieder ist sie auf dem Korridor und im Bad. Sie zieht sich erst aus, wenn sie in ihr Zimmer zurückgekehrt ist und den Riegel vorgelegt hat.
Sam stößt Schose an.
Eine Dame hat die Bar betreten.
Sie bestellt einen Martini.
Lorettan hat erst gestern die Olivenbüchse geöffnet; wo ist sie hingekommen?
Plötzlich sind die Männer wach.
Auf dem Eisschrank, wahrhaftig, da steht sie: Alles ist in Ordnung. Jeder kann das sehen. Lorettan entschuldigt sich. Es hat nur grüne Oliven; um diese Jahreszeit sind die schwarzen nirgends zu bekommen.
Die Dame lächelt. Sie geht auf hochhackigen Schuhen; in der Farbe stimmen die Schuhe mit ihren Strümpfen überein.
Sam sagt mit zu lauter Stimme: Wintervorräte, das ist nur die eine Seite des Problems, verstehst du? Das Ganze ist eine Erziehungsfrage. Man muß die Leute zum Sparen anhalten. Die Alters- und Hinterbliebenenfürsorge allein genügt nicht. Es ist nicht leicht, den Sparwillen zu wecken. Wozu sparen? sagen die Leute. Alles wird teurer. Der Index ist wieder gestiegen. Was wir jetzt weglegen, ist morgen vielleicht wertlos.
Hier müssen wir einsetzen, hier beginnt die Arbeit unserer Gruppe. Hörst du mir überhaupt zu?

Wo kommt nur diese Frau her? Bestimmt kennt sie sich in der Gegend nicht aus. Die Toto-Bar ist hell erleuchtet, Fenster und Tür stehen offen; das mag jetzt, im späten Oktober, einladend wirken. Die Männer an der Theke stören sie nicht. Sie spürt die Blicke; sie lächelt vor sich hin. Sie ist schön. Wenn sie geweint hat, sieht man das nicht mehr, so gut ist ihr Gesicht zurechtgemacht.
Lorettan hat das Radio angedreht. Kurz vor Sendeschluß werden noch einmal die Matchberichte durchgegeben. Der Sportsfreund hat die Möglichkeit, seinen Totozettel nachzuprüfen, wenn ihm daran liegt.
Gleich darauf erklingt, von einem Schülerchor gesungen, die Nationalhymne, und dann ruft Lorettan die Polizeistunde aus: er betont die erste Silbe.
Wonach riecht die Toto-Bar während der Polizeistunde in der Sonntagnacht? Nun, ein wenig auch nach dem Parfüm der Unbekannten.

# 10

Im Dezember wird die neue Pro-Juventute-Serie gedruckt. Viererblöcke mit Randnummern sind besonders gefragt. Die Ferien stehen vor der Tür; die Schulkinder haben frei bekommen. Sie verkaufen die Juventute-Hefte in einem goldenen Einband. Erstmals haben sich die Postämter in diesem Jahr bereit erklärt, die Marken noch vor dem Fest abzustempeln.

Leute wie Lorettan begrüßen diese Maßnahme.

Lorettan selbst schreibt keine Briefe. Er läßt sich die Marken von den Gästen schenken. Seine Sammlung beschränkt sich nicht auf ein einziges Land.

Wer ihm wirklich Freude machen will, bringt Lorettan den ganzen Umschlag mit. Er betrachtet die Marken mit der Lupe. Eine ganz närrische Begeisterung hat ihn gepackt. Schau nur, die Linien! Das Grau und das Weiß und die seltsamen Buchstaben! Ein Brief, mein Lieber! daß jemand plötzlich an dich denkt und deinen Namen auf ein Stück Papier schreibt! Er übergibt sein Schreiben der Post; da, wo er wohnt, ist es vielleicht sehr heiß, und er geht erst gegen Abend aus, um sich vor der Hitze zu schützen. Das Postamt liegt unter Bananenpalmen, an einer staubigen Straße. Wir hingegen frieren; unsere Nacht dauert vierzehn Stunden. Ist das nicht aufregend? Der Brief tritt seine Reise an; er trägt deinen Namen, und jetzt geht er durch weiße, schwarze, gelbe Hände mit nichts anderem als mit deinem Namen und dem kleinen Wertzeichen.

Bei uns durfte nur der Vater die Briefe öffnen. So ist es eben im Wallis. Wenn er nicht zu Hause war, blieb die Post liegen. Manchmal dauerte es Wochen, bis er zurückkam. Als ich zwanzig wurde, sagte er zu mir: Pius, von

jetzt an darfst du deine Briefe öffnen und behalten. Trag zu den Marken Sorge und vergiß nicht, daß man die Umschläge als Notizpapier verwenden kann.
Lorettan kann sich ereifern!
Er schwätzt an der Theke, einen Fetzen Papier in der Hand und vernachlässigt die Gäste. Zum Jahresende stapeln sich hinter der Kaffeemaschine die fremden Glückwunschkarten. Sam bringt sie nach Neujahr gebündelt mit. Fürsprecher Hügli und seine Agence haben Geschäftsbeziehungen in der ganzen Welt. Lorettan fragt gleich nach Manila-Marken. Ja, eine Karte aus den Philippinen ist auch in diesem Jahr wieder dabei. Seasons Greetings and our best wishes for the new year, in Prägedruck; dazu das Bild eines schwarzen Kutschers, der in eine Zuckerrohrplantage fährt.
Da hast dus! Auf den Philippinen kennt man den Winter nicht. Die Bewohner gehen in ganz leichten Kleidern spazieren, sieh nur das Bild an. Wir dagegen tragen wollenes Unterzeug und eine Weste extra zum Jackett.
Zahlen, Lorettan, ruft ein Gast in der hintern Ecke; Herrgott noch mal! Der Kaffee ist wieder zehn Rappen teurer geworden; eine Unverschämtheit!
Lorettan zuckt die Schultern. An die Preise gewöhnt man sich. Wozu die Aufregung? Ein Mokka kostet ab 1. Januar 1950 eben sechzig Rappen; so hat es der Wirteverein beschlossen. Die Regierung erhöht den Kaffeezoll; das steht in jeder Zeitung. Nur offenes Bier hält seinen Preis. Die Biertrinker beklagen sich nicht. Im vergangenen Jahr ist ein neues, teureres Flaschenbier eingeführt worden; wer will, kann sich immer noch ein Glas vom Faß geben lassen. Schose, beispielsweise, trinkt nie etwas anderes. Auf die Kapsel muß er nicht länger Rücksicht nehmen. Ihr ist es egal, wenn er nachts Durst hat.

In der Neujahrszeit bleibt das Arbeitsamt geschlossen; die Büroräume werden saubergemacht; zwei Zimmer müssen neu gestrichen werden; das Departement des Innern verteilt die an den Weihnachtsausstellungen gekauften Bilder.
Vor Mitte Januar werden die italienischen Arbeiter nicht zurückerwartet.
Erstaunlich, wieviel Schweizer Geld nach Italien abwandert, schreibt der Redaktor. In den Vorweihnachtstagen hat der Berichterstatter beobachtet, wie die Fremdarbeiter in Gruppen vor den Banken herumlungerten, während ihre Delegierten zu günstigem Kurs eine große Summe zusammenlegten.
Der Redaktor nennt Zahlen, zieht Vergleiche: Wirtschaftsexplosion in der Schweiz.
Sam prophezeit noch ganz andere Dinge; Lorettan gibt ihm in allem recht. Lorettan möchte den Fehldruck der Schonang-Schiffslinie. Er sagt zu Sam: Hör mal, es ist ja nur eine Zehn-Cent-Marke. Du findest sie bestimmt. Ihr bekommt doch dauernd Briefe von drüben.
Lachen ihn die jungen Kerle vielleicht aus? Ein erst vor ein paar Tagen entdeckter Fehldruck muß auf einem Briefumschlag zu finden sein. Möglicherweise foppen sie ihn; man kann nie wissen. Die Jungen haben keine Ahnung; sie arbeiten zu wenig, sie können mit ihrer freien Zeit nichts anfangen.
Lorettan ist überzeugt, daß sie ihm einen Streich spielen. Du könntest mich wenigstens fragen, wie die Marke aussieht, sagt er.
Das weiß ich auswendig, sagt Sam. Du erklärst es mir täglich. Du sagst: Sie ist grün, Sam, etwa wie eine Bierflasche, nein, wie der Boden einer Bierflasche. Natürlich ist ein Meerdampfer drauf.

Lorettan fährt sich über die Stirn; er murmelt eine Entschuldigung. Wie soll er den Jungen erklären, was das Lehrbuch über einen Fehldruck schreibt? Sie denken: eine Briefmarke mehr oder weniger, was solls. Und dann ein Fehldruck, na, meinetwegen. Vielleicht hat der Setzer sogar eine Belohnung bekommen. Dann reden sie wieder über die Teuerung.

Im Lehrbuch heißt es, der Fehldruck hat Seltenheitswert. Wenn die Abweichung erkannt wird, muß die Marke aus dem Verkehr zurückgezogen werden. Der Sammler ist besonders stolz auf ein solches Stück.

Heute morgen habe ich vergessen, die Post nachzusehen, sagt Sam. Ich machs am Nachmittag. Kann ich ein Bier haben, nicht zu kalt.

Lorettan weiß schon: Beim Eingießen darf sich kein Schaum bilden.

Drei Tage später bringt ihm Schose den Fehldruck. Er hat einen Brief aus Amerika erhalten, blaues Luftpostpapier, hellblau liniert, in einem dunkelblauen Umschlag. Der Brief ist am 9. Januar 1950 aufgegeben worden, AIR MAIL, und ein Absender steht in der linken, oberen Ecke: Reubell, 14, perry ST. NYC, USA.

Rechts am Rand gleich zweimal die rauchspeienden Kamine der Schonang-Luxusdampfer und das im falschen Wind flatternde Banner; über das Ganze legt sich ein Stern- und Streifen-Stempel.

Der Fürsprecher liebt es, sich die an seine Schützlinge gerichteten Briefe vorlesen zu lassen.

Er sitzt dann hinter seiner Sonnenbrille am Schreibtisch. Manchmal ist die schwangere Frau dabei, seine Tochter. Sie müht sich mit einer Stickerei ab und sieht nicht auf, wenn der Gast eintritt; auch weiß sie, daß der Fahrer draußen wartet.

Der Fürsprecher fordert die jungen Freunde auf, seinen schönen Brieföffner zu benützen; er ist aus Achat.
Ein Schreiben muß mit der nötigen Sorgfalt behandelt werden, nicht wahr?
Die Ungeduldigen berauben sich selbst der Vorfreude. Sie haben eine Gelegenheit verpaßt, Selbstdisziplin zu üben.
Es kommt vor, daß der eine oder der andere versucht, seinen Vormund zu täuschen. Er spürt es: ein Stocken, ein hastiges Weiterlesen!
Wie zerstreut ich heute bin, sagt er. Ich habe tatsächlich nicht zugehört; würden Sie nach dem Tee noch einmal lesen?
Erst jetzt ist zu entscheiden, ob der Zögling seinen Brief mitnehmen darf, oder ob das Schreiben zu den Akten gelegt werden muß. Die Akten werden geführt, bis der Bevormundete sein dreiundzwanzigstes Altersjahr erreicht hat.
Und was schreibt Reubell?
Schose hat eine angenehme Stimme. Er liest nicht zu rasch. Schade, daß er seine Matura nicht bestanden hat. Vielleicht läßt sich das nachholen? Man müßte ihm entsprechende Vorschläge machen: Abendgymnasium oder Technikum.
Lieber Schose! Eine nichtssagende Anrede, das fällt einem bei fremden Briefen sofort auf: Lieber Schose, manchmal auch: Mein lieber Schose oder, seltener, Sehr lieber Schose. Das «sehr» ist noch vor dreißig Jahren gebraucht worden: Sehr herzliche Grüße oder: Ihr sehr ergebener; neuerdings ersetzt durch: Die herzlichsten Grüße.
Die Kunst des Briefschreibens geht verloren; sie wird von der Kunst des Telefonierens abgelöst. Wer allerdings in die Lage kommt, ein Verschulden einzugestehen, muß auch heute noch damit rechnen, seine Gedanken schriftlich zu

formulieren; eine mündliche Selbstbezichtigung ist aus verschiedenen Gründen abzulehnen.

Schritte draußen. Die Fensterscheiben klirren; der Fahrer wartet in der Küche. Jetzt wird er sich unter die Tür stellen und mit einem zusammengekniffenen Auge den neuen Wagen betrachten; so bleibt er eine Weile stehen, dann spuckt er sein Zündholz aus. Man muß erlebt haben, wie er den Wagen in eine Parklücke stellt. Ein zuverlässiger Mann eben, der reinste Blindfahrer.

Schose hat fertiggelesen; Fürsprecher Hügli ist zerstreut. Nach dem Tee wird er den Jungen bitten, Reubells Brief zu erklären.

Lieber Schose!

Der Anrede folgen ein paar allgemeine Sätze über die Wohnlage Reubells. Es scheint in seinem Quartier kleine Gärten zu geben, erstaunlich, mitten in New York! So stellt man sich das nicht vor. Eher denkt man an Betonsilos und ähnliches; aber nein: Hinterhöfe werden erwähnt, von Ulmen und Kastanien ist die Rede, und die Häuser haben europäisches Format; ein Umstand, der geeignet ist, einen unbefangenen Zuhörer für den Briefschreiber einzunehmen.

In amerikanischen Anlagen werden wilde Tiere gehalten. Fürsprecher Hügli erinnert sich, gelesen zu haben, daß während des Krieges ein Panther ausgebrochen und durch einen im Central-Park angestellten Buddhisten namens Seymour zu freiwilliger Rückkehr in die Gefangenschaft überredet worden ist.

Eine grundsätzliche Erklärung führender Tierpsychologen besagt, ein Tier halte sich auch in der Freiheit an gewisse Grenzen; ob Reubell davon gehört hat?

Er schreibt nichts von den großen Parks; nur die Gärten werden erwähnt, Hinterhöfe, die jederzeit bebaut werden

können, Bäume, die vielleicht schon im nächsten Jahr gefällt sind. Reubell meint, Schose würde sich in gewissen Quartieren der Stadt heimisch fühlen. Er schreibt, es sei Zeit für Schose, herüberzukommen.
Ich habe mich auch an Madame gewandt.
Schose liest mit seiner angenehmen Stimme.
Ich habe sie gebeten, Dir das Reisegeld zu verschaffen. Die Kaution kann ich hier aufbringen. Mein Beruf räumt mir gewisse Vorrechte ein, verstehst Du?
Sollten sich mit Deinem Vormund Schwierigkeiten ergeben, warten wir bis Oktober; dann bist Du frei. Deine Studien wirst Du hier wieder aufnehmen müssen; es gibt in New-York Bildungswege, von denen wir Europäer nicht zu träumen wagen, lang lebe Amerika.
Nun, wie hast Dus? Schreibst Du mir bald wieder, mein lieber Messerstecher? In Freundschaft Dein Jacky Rubel [tatsächlich mein neuer Name in der Umgangssprache].
Alles ist so einfach zu lösen, wenn Reubell etwas vorschlägt.
Hügli sagt: Ein tüchtiger Kerl. Er wird es zu etwas bringen. Zu Reubell muß man Vertrauen haben. Er weiß immer, was er will und was er kann.
Informationen, die sich Hügli verschafft, lauten günstig: Reubell arbeitet in der elektronischen Abteilung, Schwachstrom, Merkur-Projekt. Die USA-Forschung ist dem staatlichen Überwachungsdienst unterstellt.
Der Vormund kann sich unter diesen Umständen bereiterklären, seinem Mündel J. C. Ledermann eine Chance zu geben.
Loretta bekommt seine Marken.
Was soll er einem Gast, der den Schonang-Fehldruck bringt, anbieten? Nicht jedermann erhält einen Brief aus Amerika; da hat der Junge Glück gehabt. Vielleicht hat er gute

Nachrichten von drüben? Sam redet von «Reisen machen». Lorettan gibt höflich seiner Vorliebe für Inseln Ausdruck. Er beharrt darauf: Auch Amerika ist eine Insel. Die Europäer sind verweichlicht. Ihnen gilt ein Fußmarsch nichts mehr. Drüben scheint es anders zu sein. Dort lebt der Geist der Pioniertage fort. Wie viele Sizilianer fühlen sich in Amerika heimisch! In der neuen Welt sind ihren Spaziergängen keine Grenzen gesetzt. Sie erhalten sich die Arbeitsgesundheit; sie bekämpfen die Verschleißerscheinungen.
Lorettan, zahlen, Herrgott nochmal!
Lorettan stellt sein Bier ab und läuft mit dem Tablett.
Die Gäste der Toto-Bar lieben es nicht, warten zu müssen. Manche schauen nur herein, stoßen die Tür auf und klimpern schon mit dem Geld in ihrer Hosentasche: Hoppla, ein Spez, aber rasch.
Für Träumer ist hier kein Platz; das muß Schose gesagt werden.
Lorettan darf sich nicht gehen lassen. Er kümmert sich auch um die Neujahrsgeschenke. Die Damen bekommen ein Taschentuch, den Herren wird die Habana angeboten.
Nur der König von Togo macht eine Ausnahme: er ist Nichtraucher. Neuerdings arbeitet er an einem der hinteren Tische in der Bar; Sam verschafft ihm Aufträge der Agentur.
Sam sagt: Glaubst du vielleicht, in der Neuen Welt findet sich ein Träumer zurecht?
Der König von Togo wird verlegen. Er gibt keine Antwort.
Wo ist dein Manuskript?
Der König von Togo hat es zu Hause liegenlassen.
Sam schüttelt den Kopf. Eben hat er die Aushebung bestanden; er wird zu den motorisierten Truppen einberu-

fen. Auf Spaziergängen lassen sich keine Probleme lösen. Ein neutraler Beobachter redet der systematischen Leistungssteigerung das Wort.
Wenn sich Sam zu einem Fußmarsch bequemt, dann nur, um den Hund auszuführen.
Schose geht mit; auch der König von Togo und Neunfinger sind mit von der Partie. Der Hund rennt ein paar Schritte voraus, die Nase am Boden, als habe er eine großartige Sache zu entdecken.
Wie hat Be die Fährtensucher gehaßt!
Schose hofft, daß das Halten von Haustieren in New York verboten ist; mit Bestimmtheit kann er es nicht behaupten.
Von jetzt an erwartet man von ihm grundsätzliche Entscheidungen. Er soll sich festlegen. Er müßte Sam rechtgeben: Vorbereitungen für die Abreise sind zu treffen; aber will Schose nicht doch hierbleiben? Zunächst ist eine Reise nach Biel unumgänglich. Madame hat sich bei Hügli gemeldet. Sie verwendet in ihrem Schreiben sechsmal das Wort elegant. Sie nennt Reubells Vorschlag eine elegante Lösung.
Pfeif den Hund zurück, sagt Sam.
Nur Schose pfeift auf den Fingern.
Im Tierpark Dälenholz ist es verboten, nachts einen Köter herumstreunen zu lassen. Sowie man den Aareweg verläßt, gilt das Verbot. Warntafeln am Wegrand zeigen das Bild eines freundlich wedelnden Pudels. Die stillschweigende Übereinkunft gilt, daß Neunfinger den Hund an der Leine führt.
Neunfinger kann es am besten, das muß auch Schose zugeben. Die Dogge bleibt ruhig an seiner Seite, nur der König von Togo wechselt den Platz; er geht jetzt zwischen Sam und Lorettan.
Es schneit. Sie durchqueren den Wald. Die Büffel und El-

che sind unruhig. Das Damwild steht am Drahtgitter. Die Wölfe gleiten unablässig der Mauer entlang, hin und her, hin und her.
Nun, wie ist das in Togo? Hat man da vielleicht Wölfe?
Der Neger sagt: Es gibt Leoparden in Togo.
Lorettan macht bloß Spaß.
Die Spaziergänger stoßen auf ein glimmendes Feuer der Holzfäller. Alle sind dafür: die Einladung nach Amerika ist anzunehmen. Ein Wink des Schicksals für Schose. In diesem Zusammenhang erlaubt sich Sam, das Wort Freiheit auszusprechen.
Sofort nach 1945 haben die Amerikaner den Deutschen Kartoffeln und den Franzosen Hosen verkauft; erst damit haben sie den Krieg gewonnen.
Sam ereifert sich.
Wir leben aus dem Bauch Amerikas. Dir steht der Weg offen, du hast die Chance, aus deinem Loch herauszukommen! Greifst du endlich mit beiden Händen zu? Nein, du weißt noch immer nicht, was du willst.
Der König von Togo sagt: Weites Land, USA.
Lorettan hat irgendwo von unbegrenzten Möglichkeiten gelesen; Neunfinger spuckt in weitem Bogen aus; das kann ein Eingeweihter als Zustimmung deuten, wenn er mag.
Rings um das Feuer hat Schose Astwerk zum Trocknen aufgeschichtet.
Wer die vier vom oberen Weg her beobachtet, denkt an Verschwörer und an ein am Feuer ausgebrütetes Geheimnis unter Eingeweihten.
Erstaunlich, wie viele Menschen eine solche Schneenacht im Freien verbringen.
Schose liegt in dieser Nacht noch lange wach.
Wie wird das sein: an die Marktgasse zurückkehren; der Abschied?

Dolores ist in Zürich; Madame hat neue Mädchen eingestellt; auf Monique und Dolly kann man sich noch immer verlassen.
In den vergangenen Jahren ist die Kanalgasse breiter geworden; eine Neonröhre wurde überm Schild mit dem offenen Messer und der Schere angebracht.
Schose geht am Kanal entlang. Er wehrt sich gegen die Erinnerungen. Er spuckt ins Wasser; das macht hier jeder so. Unglaublich, was der Rechen zu Tage fördert. Kerrs Vater hat das Pumpwerk gebaut; es ist sein Lebenswerk. Im Stadtbauamt werden die Fundgegenstände aufbewahrt: Notizbücher, Schlüssel, Ringe. Erst nachdem es die Kläranlage passiert hat, wird das Wasser in die Aare geleitet. An der Mündung stehen im Sommer die Forellenfischer. Auch Italiener sind unter ihnen; die meisten tragen keine Stiefel, nicht einmal hohe Schuhe. Sie lösen sich ab: sechs Mann arbeiten mit einer einzigen Rute.
Im März, wenn die Schonzeit zu Ende geht, wird der Redaktor einen Artikel über die fischenden Italiener verfassen; das Fischerei-Inspektorat erläßt neue Weisungen; eine Versicherungsgesellschaft legt die Statistik der Fischerei-Unfälle vor.
Wolf ist ein leidenschaftlicher Angler. Sowie sich Unberufene einmischen, wird er wütend.
Was versteht die Behörde von der Fischerei? Immer neue Vorschriften! Hat jemals einer gehört, daß veraltete Gesetze aufgehoben wurden? Rechnet euch aus, wie wir im Jahre 1980 dastehen!
Warum 1980? Man wagt nicht, Wolf danach zu fragen.
Man hört auf Wolf. Er ist in den Stadtrat gewählt worden; er hat nach dem Krieg die Ford-Vertretung übernommen und eine Garage eröffnet. Wolf liebt es, so zu reden, daß der einfache Mann auch einen schwierigen Sachverhalt

begreift. Wolf ist alt geworden. Schose möchte ihn nicht wiedersehen; nicht ihn, und nicht das Haus an der Marktgasse, die Heilsarmeeleute, die Taubstummen, die Mädchen, die Kunden, Madame.
Ich bezahle die Überfahrt, würde sie sagen; ein einfaches Billett nach New York. Drüben bist du besser aufgehoben als hier. Vielleicht läßt sich aus dir doch etwas Brauchbares machen.
In dieser Nacht schreibt Schose einen Brief an Reubell.

Lieber Reubell,
ich schreibe diesen Brief in meinem Zimmer. Die Kapsel, meine Wirtin, ist eine sparsame Frau. Sie verwendet Sechzig-Watt-Lampen. Ich muß mich, obwohl die Heizung nachts nicht funktioniert, an den Tisch setzen. Papier ist immer reichlich vorhanden; dafür sorgt Sam Hügli, der Sohn meines Vormunds. Ich bekomme selten einen Brief. Die Marken schenke ich Lorettan, dem Barmann in der Toto-Bar. Die Marken auf Deinem Brief waren ein Fehldruck; Lorettan läßt Dir herzlich dafür danken.
Jedermann freut sich über Dein Angebot; ich freue mich auch, und ich kann Dir eigentlich nicht sagen, weshalb ich hierbleiben will. Erinnerst Du Dich an Be und wie er ausgebrochen ist? Ich habe seine Boxhandschuhe an einem Meilenstein vor der Mauer niedergelegt. Alles für den ehrlichen Finder.
Ich habe oft von Dir gesprochen, Reubell, während ich auf die Entlassung wartete und wußte, daß er fliehen würde; ich habe versucht, ihn davon abzuhalten, wie Du mir geraten hast. Jetzt ist es beinahe so, als seist Du schuld daran, daß ich die Stadt nicht verlassen kann. Mir geht es nicht schlecht. Ich bin Angestellter des Arbeitsamtes. Ich könnte mich auch zum Tiefbau melden. Ich habe bei Stein-

egger viel gelernt. Wer baut heute noch Trockenmauern? Eine Stadt wie Bern mit ihrer Fremdenindustrie legt Wert auf gepflegte Anlagen. Sie hat Tulpen vor dem Weltpostdenkmal, Stiefmütterchen vor der Bundesterrasse, Alleebäume nach Wabern und Rosenbeete vor der Kunsthalle, von Juni bis November.
Als Angestellter des Tiefbauamtes muß man die Straßen kennen. Aber noch lieber würde ich in einem ganz bestimmten Haus wohnen. Es gehört der Stadt. Fürsprecher Hügli könnte mir eine Stellung als Magazinverwalter und später als Hauswart verschaffen. Auch ein Park ist da. Ich will versuchen, Dir das Haus zu beschreiben.
Sigbert von Singen, ein berühmter Architekt, hat es im vorvorletzen Jahrhundert erbaut, noch bevor die Kirchenfeldbrücke auf höhere Pfeiler gesetzt worden ist. Es scheint jetzt, wenn man im Längfeld steht, am Abhang zu liegen; auf der Nordseite ist der Unterbau verglast, und man weiß, daß das Obergeschoß von ebener Erde her betretbar ist. Den Eingang und den halbkreisförmigen Vorplatz bewachen zwei aus Granit gehauene Sphinxe. Die Dachräume sind nach verschiedenen Achsen ausgerichtet; noch immer ist für Unbefugte der Zutritt verboten.
So in den Hang eingefügt, über einem vor Zeiten errichteten Gewölbesystem, ist es nur in seinen Außenbezirken bewohnbar. Die Ausgänge der in Kalkstein gehauenen Röhren sind zerfallen oder in Erdbeben und Kriegen verschüttet worden. Zur Zeit Napoleons gilt es als französischer Besitz; Spiegel an den Wänden verwirren die Gäste. Die Berner reden nicht gerne von der Zeit der Besetzung. Sie haben ihr Geld, ihre Bären und ihr Wappen verloren. Die vornehmen Familien verkehren als Freunde des Botschafters in seinem Palais.
Merkst Du, daß ich abschreibe, Reubell?

Die Unterlagen sind jedermann zugänglich: noch heute kannst Du die Berichte von den Stanser Kämpfern und den wackeren Solothurnerinnen in jedem Sekundarschulbuch nachlesen. Die Schweizer sind tapfere Soldaten; besonders heldenhaft haben sie sich an der Beresina geschlagen; für Napoleon, wie man leider weiß.

In den zwanziger Jahren des neunzehnten Jahrhunderts nehmen die Gesellschaften unter und über der Erde ein jähes Ende.

Ist das nicht hübsch formuliert?

Der Quartiermeister, ein ehemaliger Spezialist für mexikanische Umstürze, bleibt während einiger Zeit auf seinem Posten, bis auch er, zusammen mit den Wiedertäufern, heißt es, des Landes verwiesen wurde.

Vielleicht langweilt Dich meine Schilderung, Reubell? Die außerordentlichen Häuser gefallen Dir nicht, Du liebst einfache Wohnungen in unauffälligen Siedlungen. Nun, laß mich fortfahren: wie gesagt, der Quartiermeister bleibt nach einer überstürzten Abreise seines Chefs, des französischen Botschafters, zurück. In den wenigen Jahren seines Wirkens verwandelt sich das Haus in eine Bibliothek; er überläßt ihr schließlich eine Sammlung von Abbildungen zeitgenössischer Lokomotiven. Die Tafeln werden zu seinem Gedächtnis aufbewahrt: Bilder des Adler-Triebwagens und der 2-C-1-Heißdampf-Vierzylinderverbund-Einheits-Schnellzugslokomotive, sowie erste Gesetze über den Schienenverkehr und die verwendeten Signale.

Bald darauf genügt das Haus den Anforderungen, die an eine Bibliothek gestellt werden dürfen, nicht mehr. Es wird systematisch evakuiert. Maler und Maurer greifen ein, reden von der Guten Alten Zeit und bemühen sich, die im zerfallenden Sandstein schöngewordenen Sphinxe durch einen Minotaurus zu ersetzen; in letzter Stunde verlangt der Rat jedoch eine Neuanfertigung von Sphinxen in dauerhaftem Granit. Damit ist der Umbau beendet und das Haus verwaist.

In den zehn folgenden Jahren wird es von allerlei Volk bewohnt. Am Aareufer haben sich pensionierte Soldaten, Roßhändler, Musiker, Doktoren, Wirte und Witwen eingenistet. Sie bewohnen ein Hüttendorf, hingekauert an die Stützmauern der Stadt; sie stoßen durch die unterirdischen Gewölbe nach oben vor und setzen sich im Haus an der Brücke fest; sogleich wird es von den Bürgern zum Gespensterschloß erklärt.

Ein gewisser Anton Gmür, ehemaliger Leiter der Puppenklinik an der Gerechtigkeitsgasse, 1823 geboren und nach 1891 verschollen, schafft im Jahre 1857 wieder Ordnung, indem er die Berufung der Bundesbehörde annimmt und in der Sphinxresidenz das Naturhistorische Museum begründet. Der neue Direktor weist sich über umfangreiche Kenntnisse aus; er hat, dies ist ein Schönheitsfehler, an einer katholischen Universität doktoriert, den Fehltritt aber durch seine Verheiratung mit einer geachteten reformierten Bernerin wiedergutgemacht.

Bei Vertragsabschluß bedingt er sich die Formulierung der gegenseitigen Rechte und Pflichten in deutscher Sprache aus. Eine ungewohnte Bitte! Die Behöden haben sich bisher an lateinische oder französische Formeln gehalten. Möglicherweise sind die Eigenarten des Vertrages diesem Umstand zuzuschreiben?

Gmür soll in drei Jahren eine Sammlung aufbauen. Niemand darf ihn dabei stören, nichts kann ihn binden. Mit Geld und gutem Rat ist er wohlversorgt.

Erste Gerüchte gehen um. In den Wirtschaften, wo er sich selten zeigt, wird Gmür an jeden Tisch geladen. Sein Freund und Mitarbeiter, ein Pendler, in der Präparatorschule in Ulm zum Ausstopfer ausgebildet, hält mit, bis sich die Gerüchte nicht mehr unterdrücken lassen. Gmürs Frau hat den Umschwung der öffentlichen Meinung als erste zu ertragen. Sie sucht in den Schriften des eben verstorbenen Jeremias Gotthelf, alias Albert Bitzius, Trost, vor allem in den kurzen Erzählungen. Nach ihrem Tode zieht Gmür mit seinem Helfer von der Gerechtigkeitsgasse an die Kirchenfeldstraße um und richtet sich im neuen Museum eine Wohnung ein. Keiner der Kommissionäre, der Postangestellten, der Fleischergesellen, der Brotausläufer darf von nun an das Haus betreten.

Inzwischen sind mehrere europäische Eisenbahngesellschaften gegründet worden. [Ah! der treffliche Spezialist für mexikanische Revolutionen, wie war er klug und vorausblickend.]

Der Pendler ist oft mit einem Metzgerkarren an der Station anzutreffen: er holt Kisten ab, gedeckte Körbe, vergitterte Kästen, in denen Affenmütter ihre Kinder umarmen. Schließlich, am 15. August 1860, wird das Museum eröffnet. Die Berner haben unter den verschiedenen Regierungen gelernt, wie ein Festzug vonstatten geht: eine durch militärisches Aufgebot in Schach gehaltene Menge wird in Achterkolonne über die Brücke geführt: allen voran der lallende Bär im Seidenbanner. Ihm nach die Ratsherren und Weibel, und wieder nach ihnen die Bürger, die Frauen, die Kinder. Hüttendorf und Matte liegen verwaist in der Tiefe; ein Reusenfischer ist zu sehen; ein Weib hängt seine Wäsche in die Zweige einer Stockweide.

Das Museum, ehemals französische Residenz, dann Bibliothek, hat seine Portale weit geöffnet. Die Menge verstummt angesichts des mächtigen Saurierskeletts unter der Decke. Der Pendler nimmt seinen Platz ein, Gmür steht in der Mitte des Saales, ein Manuskript in der Hand.

Geduld, Reubell, die Rede ist nicht überliefert; hingegen habe ich die Zeitungen nachgesehen. Lauter artige Lobsprüche, mit einer einzigen Ausnahme: der Redaktor des Christlichen Berner Anzeigers fragt seine Leser, wie Gmür es wohl fertiggebracht habe, die Gespenster fortzujagen. Unter den Schiffern gibt es den einen oder den andern, der diese Frage beantworten könnte: er kennt die Losungsworte der Mattenbuben, er hat in Spelunken Zutritt, er weiß, wo die Schlupfwinkel am Aare-Sand sind: er ist ein Mann, der auf geheimen Fahrten Lebende und Tote flußabwärts schafft.

Einer der unsern, würde er sagen, ist im Wohlensee angeschwemmt worden. Sein Körper war von Prankenhieben zerfleischt. In den unterirdischen Gewölben haben vorgestern Raubtiere eine Frau angefallen.

Das Museum wird spärlich besucht.

Schon 1890 baut die Naturhistorische Gesellschaft, von einer Handelsbank unterstützt, ein neues Institut. Es gelingt ihr, den Pendler zum Mitarbeiter zu gewinnen; er verläßt Gmür in aller Heimlichkeit. Bald darauf werden die Museumsbestände in den Neubau übergeführt. Die Handwerker haben das Wort, Leute, die sich auf ihren Beruf verstehen: Möbelschlepper, Maler, Maurer, Zimmermänner, Gärtner, Parkettleger, Elektriker und Schlosser, zuletzt die Putzfrauen. Das Haus soll sogleich einem neuen Zweck dienstbar gemacht werden, der Kunst.

Erst im Oktober des folgenden Jahres, als die Statistiker bewiesen hatten, daß die neuerrichteten Blindböden durch Pfeiler gestützt werden müssen, falls der Bau nicht spätestens im Jahre 2075 einbrechen soll, wird Gmürs Versteck gefunden.

Zwar haben sich zuvor mehrere Besucher der Kunstausstellungen über den seltsamen Aufseher beklagt: wer sich

von ihm hatte führen lassen, berichtet, wie der Alte eine Löwenfamilie beschrieb und dabei mit seinem Stock auf das Bild eines eingeschneiten Bergdorfes zeigte.
Im Untergeschoß wird Gmür gefaßt; ein Abwasserrohr versorgt das Gewölbe mit Frischluft. Und jetzt lach, Reubell! In der Chronik heißt es: Zahme Ratten fauchen die Inspektoren an. Gmür liegt auf zerschlissenen Polstern. Er schläft.
Der Leiter der Aktion, ein Polizeikommissar, nimmt sich als Andenken den Eckzahn eines Löwen mit. Er verfaßt einen Rapport, und auf dem Dienstwege werden folgende Maßnahmen angeordnet [Nachtsitzung Gemeinderatssaal, Protokoll M 93, 01]:

1. Das Haus Kirchenfeld 2 und 2b, vormals Bibliothek und Museum, jetzt Kunsthalle, ist städtischer Besitz. Es darf nicht zu privaten Zwecken mißbraucht werden.
2. Ausnahme hierzu:
   Direktor a.D. Gmür soll, in Verdankung seiner der Stadt geleisteten Dienste, in dem genannten Haus Wohnrecht haben; es ist jedoch dafür zu sorgen, daß er die Kunstgalerie nicht betritt.
3. Sein Aufenthalt [wie auch seine frühere Funktion], sind geheimzuhalten; jeder Kontakt mit der Öffentlichkeit ist untersagt.

   Gegeben zu Bern, den 15. November 1891.

Gmür stirbt, niemand weiß wann und unter welchen Umständen. Eine eiserne Tür verwehrt ihm den Zugang zu den oberirdischen Räumen; doch hat der Direktor der Kunsthalle aus freien Stücken dafür gesorgt, daß er drei Mahlzeiten pro Tag bekommt. [Das Klirren der Schüssel; einen Topf in die Nische gestellt; metallisches Hallen, wenn der Riegel einschnappt!]

Gedanken sollen nicht zu rasch geerdet werden; Du erinnerst Dich: das war ein Lieblingsspruch von Dir, Reubell!

Die Kirchenfeldbrücke ist hübsch, das kannst Du mir glauben. Von Zeit zu Zeit wird sie einer Belastungsprobe unterzogen; mühelos trägt sie sechs amerikanische Panzerwagen. Selbstmörder springen übers linke Geländer in die Aare. Sportsfreunde bleiben auf der rechten Seite stehen und beobachten die Wettkämpfe der Längfeld-Mannschaften. Die Turner sind bereits im Schatten, wenn oben noch die Sonne scheint.

Das Haus, Reubell, steht am Südende der Brücke. Die beiden Granitsphinxe werden im Frühling mit Stahlbürsten gereinigt. Bern ist eine saubere Stadt. Die Treppenstufen zum Park werden von Italienern mit Stockhämmern aufgerauht. Das ist mein Garten. Es ist ein Garten des Jahres 1950. Im Januar hat es lange geschneit. Jetzt sollen die Bäume beschnitten werden; vor allem die Weiden. Sie nehmen den Blumenrabatten die Sonne weg. Im März wird ein Moorbeet angelegt. Azaleen und Lilien sind jetzt große Mode.

Die neuen Männer in der Kunsthalle nennen sich Konservatoren. Ihre Namen sind: Oswald Gschwend-Szendeffy, Arnold Rüdlinger, Meyer-Chagall, Harry Szeemann.

Sie alle überlebt der Magazinverwalter Schose Ledermann und seine Haushälterin, die Kapsel.

Sie war immer lieb zu mir. Ich sollte abends weniger Bier trinken. Kannst Du das verstehen, Reubell?

Der Verfasser dankt der Stiftung Pro Helvetia für die Förderung seiner Arbeit an diesem Buch.

Biel, im Januar 1966 J. St.

SAMMLUNG LUCHTERHAND

18 H. C. F. Mansilla
Faschismus und eindimensionale Gesellschaft ■ ■ ■
19 Helga Gallas
Marxistische Literaturtheorie ■ ■ ■
20 Alexander Solschenizyn
Nemow und das Flittchen ■
21 Georg Lukács
Die Seele und die Formen ■ ■ ■
22 Hannes Heer
Burgfrieden oder Klassenkampf ■ ■
23 Adrian Hsia
Die chinesische Kulturrevolution ■ ■ ■
24 Kurt Marti
Abratzky oder Die kleine Brockhütte ■
25 Jürgen Habermas
Strukturwandel der Öffentlichkeit ■ ■ ■
26 Miguel Angel Asturias
Weekend in Guatemala ■ ■ ■
27 Michael Scharang
Zur Emanzipation der Kunst ■
28 Georg Lukács
Solschenizyn ■
29 Hans G Helms / Jörn Janssen
Kapitalistischer Städtebau ■ ■
30 Jean-Paul Sartre
Der Intellektuelle und die Revolution ■ ■
31 Christa Wolf
Nachdenken über Christa T. ■ ■
32 Leo Löwenthal
Erzählkunst und Gesellschaft ■ ■ ■
33 Ernst S. Steffen
Rattenjagd ■ ■
34 Günter Grass
Gesammelte Gedichte ■ ■ ■
35 Helga Gallas (Hrsg.)
Strukturalismus als interpretatives Verfahren ■ ■ ■
36 Georg Lukács
Die Theorie des Romans ■ ■

37 Jörg Steiner
Ein Messer für den ehrlichen Finder ■ ■

38 Ernst Jandl
Laut und Luise ■ ■

39 Georg Lukács
Taktik und Ethik ■ ■ ■

40 Gisela Steinwachs
Mythologie des Surrealismus ■ ■ ■

42 Regis Debray / Salvador Allende
Der chilenische Weg ■ ■

43 Dorothee Sölle
Das Recht ein anderer zu werden ■

44 Wolfgang Hermann Körner
Die Verschwörung von Berburg ■ ■

45 Kieseritzky
das eine wie das andere ■ ■

46 Helga M. Novak
Aufenthalt in einem irren Haus ■ ■ ■

47 Marlene Stenten
Großer Gelbkopf ■

48 Anna Seghers
Überfahrt ■ ■

49 Georg Lukács
Zur Ontologie des gesellschaftlichen Seins ■

50 Josef Dietzgen
Das Wesen der menschlichen Kopfarbeit ■ ■

51 Helmut Heißenbüttel
Zur Tradition der Moderne ■ ■ ■

52 Heinrich Vormweg
Für Literatur (Arbeitstitel) ■ ■

53 Fritz Vilmar
Modelle und Strategien der Demokratisierung ■ ■

54 Jóhann Páll Arnason
Von Marcuse zu Marx ■ ■ ■

55 Gabriele Wohmann
Neue Prosa (Arbeitstitel) ■ ■

56 Franz Jung
Der Torpedokäfer ■ ■ ■

■ DM 4,80 ■ ■ DM 7,80 ■ ■ ■ DM 9,80